La baie heureuse

PIERRE CHARBONNEAU

La baie heureuse

roman

PIERRE TISSEYRE
8955 boulevard Saint-Laurent — Montréal, H2N 1M6

Dépôt légal : 4ᵉ trimestre 1981
Bibliothèque nationale du Canada
Bibliothèque nationale du Québec

Maquette de la couverture : Suzanne Langlois

ISBN-2-89051-058-1

À Dominique, pour mémoire

1

Dans le silence fragile et la tiède atmosphère de la chambre, la tête pleine de sommeil et de rêves, Jouve se hissa sur le tabouret au siège de peluche vert tilleul et, prenant appui, d'une main incertaine, sur le rebord de la lucarne, il écarta le rideau de soie beige à franges.

Le jour naissait à l'horizon.

Une bouffée de chaleur humide, sentant l'herbe fraîchement coupée, arrosa sa figure et imbiba ses narines. Rougeoyant derrière des flocons de brume qui s'enroulaient, s'étiraient et se distendaient sur l'onde mate et silencieuse, le soleil se levait au fond de la baie, au-dessus de la ligne dentelée des conifères parmi lesquels pointaient de longs bouleaux à la cime coupée par le noroît. Les yeux à demi fermés, il le fixa un moment bien que sa luminosité croissante rendît l'opération difficile et l'obligeât de temps à autre à détourner le regard. Mais ça le fascinait de suivre l'astre dans sa lente évolution et de le voir, tel un jaune d'œuf dans une poêle brûlante, se détacher de sa gangue gazeuse, saillir et se contracter. Aucune ride ne brouillait le bleu diaphane de l'eau, promesse d'une journée splendide et ensoleillée.

Vite happée par les tentacules richement foliés d'un orme, que son isolement au bout de la terrasse remplissait de superbe, une corneille au plumage de jais croassa dans un battement d'ailes. Une seconde corneille subissait le même sort quelques instants après, mais elle eut juste le temps, avant que le monstre ne l'avalât, de jeter sa fiente avec laquelle, dans un esprit de vengeance, elle blanchit quelques feuilles. Plus bas, vers les marécages en bordure de la forêt, quelques hérons s'envolèrent dans un bruit sec, à peine atténué par le clapotis qui suivit leur départ. Le cou étiré, ils survolèrent d'abord la baie en mission de reconnaissance, puis, après s'être rapprochés d'une zone poissonneuse propre à aiguiser leur appétit, ils planèrent au-dessus de l'onde, toutes ailes déployées, leurrant leurs proies avec l'ombre qu'ils projetaient. Et soudain, sans crier gare, ils piquèrent dans l'eau pour en ressortir tout aussitôt, chacun portant dans son bec acéré un poisson frétillant. Jouve les vit voler à bride abattue vers leur nid; les précédant sur la surface de l'eau, leur silhouette mouvante et floue avait quelque chose de lugubre.

Des massifs de fougères au pied de la terrasse lui parvenaient, dans une cacophonie assourdissante, les appels stridents des grillons et des cigales. Sur le sable humide de la plage, des crapauds, sortis de leur repaire nocturne, humaient l'air frais, fixaient le firmament, virevoltaient, et allaient ensuite s'immobiliser dans le creux d'une pierre ou chercher refuge sous les traverses du quai flottant. Autour de deux grosses roches blanchies à la chaux, entre lesquelles passait le sentier conduisant à l'arrière de la villa, des touffes de boutons d'or que la faux avait épargnées se dressaient altières, leurs pétales jaunes offerts à la lumière.

Un pêcheur solitaire, ramassé en boule à l'arrière de son canoë rouge vif, surgit à gauche, venant, semblait-il, du chalet voisin. Son aviron ruisselait au-dessus de l'eau. Avec dextérité, dans un mouvement cadencé, le rameur, une main sur la poignée de l'aviron et l'autre sur la partie inférieure du manche qu'il retenait fermement contre le rebord de l'embarcation, décrivait un demi-cercle, toujours le même. La pelle fendait l'eau comme un couteau. Le canoë, profondément enfoncé dans l'eau à l'arrière sous le poids du pêcheur, ne touchait pas la surface à l'avant et, dans cette position périlleuse, donnait l'impression qu'il allait chavirer à tout moment. Jouve reconnut facilement le pêcheur : c'était le docteur Burgaud, le père de Mathieu et d'Anne. Souvent, au lever du jour, il allait à la pêche à la barbote dans une crique stagnante, noire d'algues et tapissée de nénuphars, à proximité de la presqu'île qui séparait la baie du lac proprement dit.

Jouve éprouvait pour le docteur Burgaud, qui l'avait opéré des amygdales, le respect mêlé de crainte du malade à l'égard de son médecin. Les cheveux en brosse autour d'un crâne plat dénudé, la moustache noire à la gauloise, vieux reliquat de la vie militaire, il conservait dans son corps trapu, au ventre bedonnant sur des jambes courtes et légèrement arquées, la démarche raide et sanglée de l'officier qu'il avait été lors de la Grande Guerre, où il avait servi comme médecin dans le corps expéditionnaire canadien en France. Son casque d'acier rouillé, au sommet d'une panoplie sur laquelle s'entrecroisaient une épée d'apparat et un fusil à la culasse verdâtre, ornait le mur de crépi au-dessus du manteau de la cheminée dans la salle de séjour de sa maison d'été. Avec la douleur lancinante dans la jambe gauche qui le clouait au lit les jours de pluie, c'était le seul souvenir tangible d'une époque de sa vie sur laquelle il était avare de mots. On savait qu'il avait vécu l'enfer de Verdun : sans doute était-ce suffisant pour satisfaire la curiosité des gens, puisqu'ils hochaient la tête et n'insistaient pas.

Mais il avait aussi du médecin la générosité du cœur et la compréhension de la misère humaine. Ses enfants, qu'il gâtait et aux caprices desquels il cédait volontiers, l'adoraient car il était incapable de les réprimander. Oh ! il essayait bien parfois quand sa femme, à bout de nerfs, le lui demandait avec insistance, ou qu'exaspérée par les polissonneries ou les coups pendables de Mathieu elle allait pleurer en silence dans sa chambre. Il faisait alors une colère terrible et brandissait sa ceinture, mais dès que Mme Burgaud avait le dos tourné, il éclatait de rire et lançait un clin d'œil à Mathieu. Celui-ci déguerpissait et allait raconter l'affaire à Jouve qui n'avait pas la même veine, son père à lui n'admettant aucune entorse à la discipline familiale.

Bien que la villa des Burgaud, comparativement à celle des parents des Jouve, fût de dimensions modestes, elle dégageait un charme champêtre sous les grands ormes qui l'ombrageaient au milieu du vaste domaine familial. C'était une ancienne maison de ferme en pierres des champs enduites de mortier, avec un toit à deux versants, garnis de cheminées latérales. Le docteur avait fait ajouter une galerie grillagée à l'avant et une pièce très basse à l'arrière qui servait de cuisine. À proximité, dans un enfoncement rocailleux, coulait un ruisseau dont la limpidité et le clapotement à travers le bruissement des feuilles ravissaient les oiseaux. La demeure s'était intégrée au paysage et en avait acquis la douceur et l'envoûtement. Une partie du domaine autour de la maison avait été aménagé en pelouse, mais le reste avait repris l'aspect sauvage d'un champ laissé en friche où les framboisiers voisinaient avec des fétuques et des chardons. Toute une zone était réservée au jeu : il y avait là un court de tennis au sol recouvert de mâchefer sur lequel il n'était pas recommandé de marcher pieds nus, un espace prévu pour le croquet, une balançoire à bascule et plusieurs escarpolettes et, à l'arrière, un bâtiment bas servant de remise et d'écurie à un alezan de race que possédaient les Burgaud. C'étaient surtout Mathieu et parfois Muriel, l'aînée de la famille, qui le montaient. Par-delà le ruisseau séparant le domaine, le docteur Burgaud avait fait transformer à grands frais une rive marécageuse en une grève sablonneuse dont l'entretien coûtait une fortune, puisqu'il fallait chaque année, après la crue du printemps, y déverser des tonnes de sable. Comme c'était la seule plage de ce côté de la baie, elle attirait tous les jeunes des alentours.

Le docteur Burgaud avait deux passions : la pêche et la bière. Déjà il lui arrivait de les satisfaire en même temps sans qu'aucune n'en souffrît : c'était la belle époque. Pendant que sa femme restait à la ville et s'occupait de la fructueuse pharmacie attenante à son cabinet de consultation, il s'échappait au milieu de l'après-midi, les beaux jours de l'été, et s'amenait à la campagne tout guilleret et un peu pompette. Du coffre de sa De Soto poussiéreuse il extrayait une caisse à claire-voie remplie de bouteilles de bière qu'il transportait, en manquant de tomber à tous les deux pas, jusqu'à son canot à moteur dans l'espèce d'anse où on l'amarrait. Là, il dissimulait son précieux trésor dans le canot sous une bâche avec une nourrice d'essence et une boîte métallique contenant son attirail de pêche. Quand il revenait quelques heures plus tard, s'il ne ramenait pas de prises, du moins avait-il satisfait largement sa soif. Jouve et Mathieu se précipitaient vers le quai et l'aidaient à amarrer son canot, en se tenant à une distance respectueuse, car il était dans ces moments, lui d'ordinaire si ouvert, d'une humeur massacrante.

C'est alors que se produisait toujours la même chose. Avant de se rendre à la maison, il devait faire un détour vers la remise où étaient les toilettes. Titubant malgré de vaillants efforts pour se tenir droit, il gravissait péniblement la berge et obliquait vers le petit endroit, mais, à tout coup, il échouait dans sa tentative et allait s'affaler sur le gazon à l'ombre d'un saule pleureur ou le long d'une haie.

Bien malin celui qui aurait pu à cet instant deviner le drame de cet homme. Avec sa bonne face rougie par le soleil sur laquelle trottait une mouche, les deux mains à moitié glissées sous le haut de son pantalon fripé comme une feuille sèche, il semblait, étendu nonchalamment sur son matelas d'herbe tendre, le symbole même de l'honnête homme, repu et heureux, à qui il aurait été malséant de reprocher de profiter des joies bucoliques de l'été. Sans doute ses rêves le conduisaient-ils loin, très loin, dans un monde élyséen où la guerre des tranchées était inconnue, où la maladie ne dévoilait pas à tous les instants son hideux visage. Oh! il éructait bien parfois, et quelques gémissements s'échappaient de sa poitrine angoissée, pendant que des chauves-souris rasaient en s'égosillant le toit de tôle ondulée de la remise, mais il parvenait à vaincre ses démons et un sourire angélique s'incrustait dans son visage. La nuit tombait quand il s'éveillait. Sa femme, douce et patiente, lui servait un repas froid avec un café noir non sans qu'une larme ternît ses yeux gris qu'elle essuyait avec un coin de son tablier.

Les choses avaient évolué entre-temps. Depuis qu'une guerre, plus étendue que celle de quatorze, ensanglantait l'Europe, la bière avait pris le dessus sur la pêche. Dès la fin de la matinée, le docteur Burgaud était déjà éméché, ce qui excluait toute possibilité, plus tard pendant la journée, d'aller taquiner le doré. Il s'était donc avisé de pratiquer son sport favori tôt le matin, avant de regagner son cabinet de consultation et de faire la tournée de ses malades. Les méchantes langues affirmaient qu'entre deux visites à domicile, il s'arrêtait à la taverne de la gare. Tout compte fait, il ne lui restait plus que quelques heures de sobriété par jour et il utilisait la première pour pêcher la barbote.

Jouve le vit disparaître dans un tournant au-delà des marécages. Sa frêle embarcation laissa derrière elle un mince sillon d'écume grise, et deux canards noirs, surpris dans leurs ablutions matinales, s'enfuirent à tire-d'aile. Momentanément brouillée, l'eau redevint un miroir au-dessus duquel, par l'effet des reflets du soleil, l'air semblait visible et comme entraîné dans un tourbillon incessant. L'intensité de la lumière était telle que Jouve eut l'impression de voir des pépites d'or danser devant ses yeux éblouis. Les caresses brûlantes du soleil embrasaient son visage rougi et heurtaient ses épaules comme une morsure. Au lieu de rentrer quelque peu à l'intérieur, il ne bougea pas et se laissa engourdir lentement par la chaleur ambiante. Sa pensée dériva vers Anne qu'il n'avait pas revue depuis l'été dernier. Qu'était-elle devenue pendant tout ce temps ? Avait-elle grandi ? Avait-elle beaucoup changé ? Il l'apercevait encore dans sa robe blanche de taffetas à pois rouges, la chevelure noire en boucles lâches, soulevées par le vent de septembre. Il s'était déclaré son protecteur et son chevalier servant. Quand Mathieu était méchant envers elle et la faisait pleurer, il se portait à sa défense et, sous prétexte de la consoler, il la pressait timidement contre lui.

Parfois, avant la fin du jour, ils allaient chercher du lait à la ferme des Prés derrière la colline verte, plaquée de rochers et coupée à gauche par une futaie de cerisiers noirs et de bouleaux jaunes. De chaque côté du chemin de terre battue, souvent creusé de fondrières, des framboisiers fournis offraient leurs fruits pourprés. Mais les plus délicieux, gorgés de petites drupes juteuses, se cachaient sous les feuilles, et il fallait écarter les tiges épineuses et en démêler l'enchevêtrement au sommet. Sous le feuillage touffu apparaissaient des grappes de framboises si mûres qu'elles se détachaient et roulaient sur leurs doigts avides. Afin qu'elle ne s'égratignât pas trop, il la précédait, il écrasait devant lui les ronces mortes ou cassées ; lorsqu'il avait déniché un coin particulièrement prometteur, elle le rejoignait, et tous les deux se laissaient choir sur un banc de mousse. Ils n'avaient alors qu'à tendre le bras pour cueillir les framboises. Les plus belles, il les lui offrait avec une gaucherie d'enfant.

Cependant, il arrivait à Anne de se renfrogner et de déclarer avec emphase d'un air espiègle qu'illuminaient ses yeux clignotants que l'endroit choisi ne valait pas le dérangement. La remarque piquait l'orgueil de Jouve. Pour lui prouver qu'elle avait tort, il fourrageait, insensible aux éraflures qui zébraient ses jambes et ses bras nus, dans les feuilles rosâtres dont il repoussait les tiges du revers de la main. Elle renversait la tête en arrière, se coulant sur le sol avec une grâce féline, et entrouvait ses lèvres minces dans un abandon qui, sous la lumière voilée du jour, avivait le hâle de son teint d'épi d'orge. Il s'approchait d'elle et, avec son pouce et son index, il laissait tomber un à un, dans sa bouche friande, les beaux fruits veloutés. Elle ne tardait pas à crier grâce mais il la retenait au sol aussi longtemps qu'elle n'avait pas retiré son affirmation gratuite. Sous l'effet du rire qui l'agitait, ses joues ressemblaient à deux pétales de roses ocres et ses dents blanches, que veinait le jus des framboises, avaient l'éclat irisé de la nacre.

Les hautes branches des framboisiers au-dessus d'eux formaient un dôme par où filtraient les rayons du soleil déclinant. Là-bas, sur la colline, bêlaient les brebis ; leur plainte monocorde dévalait le long des pentes, écrasait les arbrisseaux, rebondissait sur les roches, et parvenait jusqu'à eux comme l'écho assourdi de l'abîme. Quand, gavés de framboises et amortis par la chaleur, ils s'étendaient l'un à côté de l'autre, un engourdissement les envahissait qui insensiblement les faisait culbuter dans le rêve. Une brise aromatique les soulevait et les emportait sur ses ailes vers une terre idyllique, au sol tapissé de prés luxuriants, de clos remplis de grands framboisiers, et de coteaux arrondis et verdoyants, au-dessus de laquelle le soleil arrêté à son zénith délavait le bleu infini du ciel. Ils n'avaient frères ni sœurs pour les embêter, ni parents pour les gronder ; ils n'entendaient ni cris impérieux qui vous secouent tout le corps et vous enjoignent de ne pas vous attarder en chemin, ni ordres brusques qui vous surprennent toujours dans les moments les plus inopportuns et vous somment de venir dîner. Finies aussi les nuits noires dans des chambres hantées où l'on sombre dans d'affreux cauchemars, interrompus par des moustiques avides de sang frais qui s'agitent au-dessus de votre tête et dont le bourdonnement vous transperce le tympan.

Libres comme l'air et capricieux comme le vent, ils galopaient dans des plaines parsemées de folle avoine et de marguerites, franchissant les obstacles avec la rapidité du chevreuil. Quand finalement la fatigue et la chaleur les terrassaient, des érables argentés, à l'orée d'une forêt exhalant le parfum de ses conifères et la tiédeur de ses sentiers ravinés, leur tendaient les bras et les invitaient à se reposer sous la feuillée, en compagnie des écureuils et des lièvres. Quelle était douce cette halte dans la solitude majestueuse de la nature! Elle n'était marquée que par les pulsations décroissantes de leur cœur et le babillement étouffé des grives. Nu-pieds, se tenant la main comme Muriel et son fiancé, ils marchaient ensuite sur le sable chaud d'une grève longeant les eaux calmes et miroitantes d'un lac à l'horizon si profond qu'il se fondait avec le ciel. Sur le talus où allait se perdre le sable, des bouleaux blancs et des cèdres rouges s'inclinaient dans une attitude révérencieuse. Avaient-ils soif? Ils n'avaient qu'à s'approcher d'une source limpide et glacée qui zigzaguait entre les roches coiffées de lichens, sous un grillage de racines verdâtres et de branches grises.

Mais un gros bourdon, au ventre velu, survenant à l'improviste dans leur cachette, les ramenait sur terre. Ils se levaient en hâte et poursuivaient leur route dans un silence quasi religieux que ni l'un ni l'autre n'osaient rompre tant ils avaient la tête encore remplie d'images de bonheur.

Un jour, une pluie soudaine, ponctuée de coups de tonnerre fracassants qui lacérèrent l'atmosphère comme une détonation de dynamite dans une carrière ouverte, les surprit alors qu'ils devisaient gaiement sur un rocher surplombant le lac. Elle se jeta dans ses bras. Il y eut dans son abandon une telle confiance mêlée d'innocence qu'il resta cloué sur place et ne songea même pas à se lever pour chercher refuge avec elle sous un arbre; tout au plus eut-il la présence d'esprit de rabattre sa chemise ouverte sur les épaules grelottantes de sa compagne. Mais c'était une protection bien insuffisante: en l'espace de quelques secondes, ils furent trempés jusqu'aux os. Il sentit d'abord contre sa poitrine, contractée par les vives émotions qui le suffoquaient, le cœur d'Anne battre fébrilement; puis, à mesure qu'elle reprenait ses sens, son agitation se calma, ses membres se relâchèrent. Il se détendit à son tour et ses mains, immobilisées un moment plus tôt, s'abandonnèrent sur son dos transi dont il goûta, à travers son chemisier mouillé, le velouté halitueux.

Sur le lac dont l'eau avait viré au noir, crépitaient des balles de plomb, drues et rebondissantes, qui donnaient à la surface l'aspect d'une immense nappe de verre en fusion. La pluie cessa cependant aussi rapidement qu'elle avait commencé, et déjà, au-dessus d'eux, les nuages lourds et très bas, si menaçants un instant auparavant, blanchissaient, s'amenuisaient, se déroulaient comme un écheveau de laine, découvrant le ciel petit à petit. Anne ne se dégagea pas immédiatement et ses lèvres brûlantes effleurèrent l'épaule de Jouve, mais, lorsque les premiers rayons du soleil s'abattirent, elle s'écarta doucement, le regarda un moment avec un sourire timide, presque figé et, comme si elle voulait prouver son courage, lui plaqua un baiser rapide sur la joue. Ils s'esclaffèrent spontanément sans toutefois réussir à camoufler la gêne inscrite dans la raideur de leurs gestes et la confusion, encore plus manifeste, qui tombait de leurs yeux. Un élément inconnu, une sensation indéfinissable semblait s'être introduite subrepticement dans leurs rapports. Eussent-ils été capables de l'identifier que leur retenue instinctive les aurait empêchés d'en parler. Ni l'un ni l'autre en effet n'extériorisait facilement ses sentiments, car aucun des deux n'avait encore atteint l'âge où la passion devient théâtrale et délirante. Mais une petite flamme, oh! encore bien vacillante, dilatait la prunelle de leurs yeux et un battement accéléré secouait leurs poitrines, tandis que, silencieux, aspirant à pleins poumons l'air frais et chaud sous le soleil ardent, ils regardaient l'eau de pluie s'évaporer sur les surfaces concaves du rocher, ou se transformer en perles cristallines sur les feuilles écrasées des plantains avant de sécher.

Ils se quittèrent tôt ce jour-là et ne se rendirent point à la ferme des Prés. Le soir, dans la noirceur lourde de la chambre des garçons sous les combles, Jouve tourna longtemps dans son lit et quand finalement vint le sommeil, un sourire béat lui barrait le visage.

« Avait-elle grandi? » se répéta-t-il, songeur, en fixant vaguement le miroitement du soleil sur les planches de cèdre du quai auxquelles les intempéries et l'usure avaient donné un poli gris. « Quand arrivera-t-elle? » Mais il se fit aussitôt la réflexion qu'elle était sûrement là, puisqu'il venait de voir son père sur le lac. Il ne fut pas rassuré pour autant: pensionnaire dans un couvent à Saint-Hippolyte, à une centaine de milles de Val-des-Ormes, elle n'entrait pas toujours en vacances à la même date que lui. L'été précédent, elle était arrivée à la campagne deux jours après ses parents. Il l'avait vue descendre de l'automobile noire de son père. Elle portait encore son costume de couventine en serge bleu marine : corsage sévère resserré au cou par un col de lustrine blanche, manches longues et amples, retenues par des manchettes également de lustrine, et jupe à plis, ceinturée à la taille. Les deux nattes, qui regroupaient de chaque côté ses cheveux d'ébène, dégageaient son cou fin et satiné, le long duquel tombaient quelques mèches rebelles, et son beau visage ovale qui paraissait, dans cette pose, reposer sur un socle de marbre blanc. Au lieu de durcir ses traits, la sévérité toute religieuse de son vêtement faisait ressortir sa jeunesse et éclore sa féminité naissante. Mécontente d'être surprise dans cet accoutrement par Jouve à qui elle lança un sec et furtif salut, elle s'engouffra vélocement dans le chalet avec son sac d'écolier en bandoulière. Ses souliers vernis crissèrent sur le parquet de la galerie. Ces images lui semblaient bien loin maintenant, en cette matinée glorieuse, gorgée de lumière et de tous les parfums de la nature. Elle n'était plus qu'une forme grise, imprécise, presque irréelle, qui se confondait devant ses yeux aveuglés avec l'ombre frémissante des arbres sur la surface de l'onde.

2

C'est vers la fin de l'été de la même année qu'Anne et Jouve firent, par une journée piquante de septembre, une petite excursion en chaloupe en suivant à faible distance la rive sineuse de la grande baie. Elle était assise en face de lui, à l'arrière de l'embarcation, ses jambes cuivrées ramenées sous le banc, ses bras croisés sous une veste de laine abricot, jetée sur ses épaules. Une brise murmurante, qui charriait les effluves odoriférants des sapins, ondulait ses cheveux dont les mèches folles glissaient sur son visage ou s'enroulaient autour de son cou. C'était la première fois depuis l'incident sur le rocher qu'ils se retrouvaient vraiment seuls. Par après, sans qu'ils pussent savoir exactement pourquoi, les occasions de rencontre s'étaient espacées et les moments ensemble avaient été de courte durée.

Jouve s'était dit qu'il y avait peut-être derrière tout cela la main ferme d'Angélie, une espèce de géante au cœur d'or, à la fois bonne et gouvernante, forte de la faiblesse et de la

21

négligence des parents d'Anne, lesquels elle servait fidèlement depuis une vingtaine d'années. Levée tôt le matin et couchée la dernière le soir, elle était partout, courant dans la maison de la cuisine aux chambres, surveillant ses chaudrons un moment ou frottant le parquet l'instant d'après, et lessivant le linge, et le passant au bleu, et le tordant dans ses mains puissantes afin de l'essorer, tout en trouvant le temps néanmoins de consoler celui-ci ou de réprimander celui-là, quand elle n'avait pas à se précipiter dehors pour arbitrer un conflit entre les enfants ou aider Mme Burgaud qui arrivait de la ville les bras chargés. Constamment à l'affût, rien n'échappait à son nez busqué, à ses oreilles sensibles, à ses yeux perçants. Arrivant un jour dans la remise, elle y découvrit Mathieu et Jouve dans le plus simple appareil qui s'amusaient et se roulaient dans le carré de bran de scie où l'on conservait la glace. Ils en furent quittes pour quelques claques retentissantes sur leurs fesses blanches. Mais par la suite, lorsqu'ils avaient envie de jouer au médecin, ils traversaient la baie et allaient se refugier dans une crique déserte, où le risque d'être surpris dans leurs ébats sur le sable chaud était mince. Il y avait pourtant dans le comportement d'Angélie un trait qu'appréciaient les enfants : sa position était si sûre, l'ascendant qu'elle exerçait sur toute la famille si grand qu'elle ne jugeait ni nécessaire ni utile d'informer les parents des petits scandales qu'elle découvrait ou des jeux interdits auxquels elle mettait inopinément un terme. Jouve estima vraisemblable qu'elle avait pu deviner, ou même voir de loin, la tendre scène sous la pluie. Elle n'en avait probablement pas parlé à Anne mais elle surveilla ses activités et l'encouragea sans doute à s'amuser plutôt avec Adeline et Sylvaine, les deux jeunes sœurs de Jouve, qu'avec ce dernier.

Cependant, ce jour-là, ils jouaient de bonheur car Angélie n'y était pas : elle était rentrée à Val-des-Ormes afin de faire le ménage de la maison et de préparer la rentrée des classes. Muriel, qui avait la garde des enfants, occupait ses loisirs à des tâches plus « frivoles » et se désintéressait complètement des allées et venues d'Anne. L'embarcation glissait doucement, avançait par petits coups sur la surface ridée du lac. Jouve imprimait parfois un mouvement brusque à une des rames afin d'éviter un écueil ou de redresser la chaloupe. Il s'aperçut après un moment que sa compagne broyait du noir.

« Qu'est-ce qui te tracasse ? remarqua-t-il sur un ton narquois.

— Oh ! je ne sais pas. Je pense à la fin des vacances. Je pense au couvent. Dire que d'ici à quelques jours, je serai là-bas pour une autre année !

— Eh bien ! tu me surprends. Je croyais que tu aimais ça être pensionnaire dans un grand couvent, dans un couvent pour jeunes filles riches. »

Elle fit la moue.

« Ce n'est pas aussi amusant que tu le penses. Les religieuses nous tapent constamment dessus. Elles ouvrent nos lettres. Elles nous traînent à la chapelle trois fois par jour. Elles nous suivent partout. On ne peut rien faire sans avoir à demander la permission. Les autres pensionnaires sont méchantes ...

— Et toi, tu ne l'es jamais ? » interrompit-il.

Elle fit semblant de ne pas comprendre.

« Je les déteste. Tu ne peux pas savoir ce que c'est que de vivre jour après jour avec les mêmes filles criardes, envieuses, qui ne vous laissent jamais tranquilles; en classe, aux repas, à la chapelle, toujours les mêmes faces coiffant le même costume ridicule. Il y a des rapporteuses, des saintes nitouches parmi elles, qui courent chez la directrice pour l'informer du plus petit accroc au règlement, du moindre manquement à la discipline.

— Car mademoiselle est indisciplinée !

— Si ! ça arrive parfois, répondit-elle en riant.

— Oh ! oh ! je pensais que tu étais sage comme une image.

— Eh bien, je ne sais pas trop... Tu vas te moquer de moi encore une fois.

— Bien non. Je te le promets.

— J'aime bavarder dans les rangs, reprit-elle. Je passe des remarques pas très catholiques sur les religieuses. C'est fou comme elles me font rire ! En classe, je n'arrive pas à garder ma gomme; elle me brûle la main et, dès que la sœur a le dos tourné, je prends un malin plaisir à l'envoyer rebondir sur le pupitre d'une camarade. C'est idiot, mais des tas de filles font la même chose. Ça passe le temps. Il n'y a que les plus sages qui observent la discipline. Tiens, c'est justement parmi elles que l'on trouve les mouchardes. Dieu qu'elles doivent s'ennuyer ! Elles étudient leurs leçons par cœur, elles sont les premières à lever la main en classe quand la sœur pose une question, et elles ont toujours réponse à tout. Tu devrais les voir à la leçon de catéchisme. C'est à qui apportera la réponse la plus complète, la plus susceptible de plaire au professeur, un petit abbé timide et rougeaud, qui est aussi l'aumônier du couvent. Les religieuses placent sur un piedestal celles qui ont de fortes notes en catéchisme. Au fond, moi, je suis paresseuse. Je déteste l'arithmétique. La géographie m'ennuie : c'est toujours la même chose. J'aimerais l'histoire mais on nous l'enseigne si mal. On nous force à apprendre par cœur des tas de dates qu'on répète comme un perroquet, mais qu'on oublie tout aussitôt après l'examen.

— Tu es une belle enfant gâtée. Qu'est-ce que tu aimes ?

— Rien.

— Tu n'exagères pas un peu !

— Tu as raison. Il y a des tas de choses que j'aime. Comme lire, comme rédiger des compositions. Je suis la première en composition française. La seule sœur que j'aime, c'est la maîtresse de français. Elle lit souvent ma composition devant la classe, ce qui bien entendu rend les filles furieuses. J'aime les sciences naturelles. La botanique me passionne. J'ai hâte d'arriver dans une classe plus avancée. »

Elle se pencha au-dessus de l'eau et trempa sa main qu'elle laissa traîner le long de l'embarcation. Sa tristesse s'était dissipée. Ils étaient parvenus dans une anse aux eaux calmes, recouvertes de feuilles de nénuphar, de grandes feuilles cordées, si imbriquées et si fournies qu'elles dallaient la surface d'un tapis miroitant. Elle saisit une fleur au passage et la porta à ses narines. L'eau qui s'égouttait de la tige luisante roula sur ses genoux. Avec son pouce et son index reliés en couronne, elle s'amusa à refermer sur elles-mêmes les pétales jaunes teintés de rouge à la base.

«M'aimes-tu? dit-elle soudainement, avec un air à la fois mutin et malicieux.

— Quelle question!

— Je suis sérieuse. Il faut que tu m'aimes beaucoup, si tu veux que je t'épouse un jour.

— Si c'est pour ça, dit Jouve quelque peu décontenancé par la franchise inhabituelle de son amie, eh bien! oui, je t'aime.»

Imperturbable, elle demanda:

«Combien gros?

— Je l'ignore.

— Tu me fais de la peine. Je ne mérite pas cela. Il faut m'aimer beaucoup. Personne ne m'aime vraiment. Je suis si malheureuse!

— Pourquoi dis-tu des sottises? Et ton père, et ta mère, et Muriel, et Mathieu, ils ne t'aiment pas, eux?

— Ce n'est pas la même chose. Je me demande d'ailleurs s'ils m'aiment. Tu ne peux pas comprendre. Les garçons ne comprennent jamais les filles!»

Ses doigts se resserrèrent furieusement sur les fragiles pétales, les écrasant comme un chiffon, et elle lança au loin la fleur meurtrie. Des lambeaux de la corolle se mirent à tourner dans l'eau paisible autour du fruit déchiqueté, comme s'ils n'acceptaient pas leur fin brutale. Les yeux d'Anne s'embuèrent et la peau brune de son visage, si joliment hâlée après un été au soleil et au grand air, perdit de son éclat. Elle demeura silencieuse jusqu'à la fin de la randonnée, à laquelle Jouve, que la scène avait ébranlé et qui sentait des gouttes de sueur lui couler dans le dos, décida de mettre fin rapidement. Il ne la revit plus car, tôt le lendemain matin, elle rentra à Val-des-Ormes et, une heure plus tard, prenait le train pour Saint-Hippolyte.

3

Jouve se frotta les yeux. Ces tranches de sa vie englouties par le temps, voici qu'elles remontaient à la surface, qu'elles remeublaient sa mémoire, qu'elles baignaient, avec une complaisance sensuelle, dans cette chaude nature de l'été qui leur avait servi de cadre doré. Ces lieux, témoins indulgents de ses ébats de vacances depuis sa plus tendre enfance, dont il avait fouillé chaque parcelle et chaque repli, qu'il embrassait à présent d'un œil attendri, lui redevenaient familiers et l'imprégnaient de leur sève généreuse après une longue hibernation. Anne dont la pensée lui effleurait à peine l'esprit en dehors de l'été, Anne qu'il imaginait maintenant dormant paisiblement dans le grand lit à quenouilles qu'elle partageait avec Muriel et dans lequel avaient couché plusieurs générations de Burgaud, voici qu'elle l'ensorcelait de nouveau, lui qui avait cru qu'en exhumant son image il pourrait plus facilement l'exorciser !

Vaillamment, il essaya de contrer ce torrent qui menaçait d'emporter les belles résolutions élaborées la veille avant de s'endormir. Au seuil d'une étape importante dans sa vie, il avait jugé essentiel d'élaborer un plan d'action propre à mettre en valeur les nouveaux traits de sa personnalité. À dire vrai, ses interrogations sur les changements qui auraient pu s'opérer chez Anne n'étaient que pour la forme : il ne croyait vraiment pas qu'elle eût grandi. Et en niant tout changement chez elle, les métamorphoses qu'il s'attribuait ne prenaient que plus de relief. En somme, il était devenu un grand garçon avec tous les attributs qu'un tel statut comporte, tandis qu'elle était demeurée une fillette. C'est comme fillette qu'il l'avait connue et c'est sous cette forme que sa mémoire l'évoquait. Et les grands garçons, avait-il conclu, ne s'intéressent plus, ne doivent point s'intéresser aux petites filles. De ce constat, il avait tiré la seule conclusion logique, savoir : lorsqu'il reverrait Anne, il était de son devoir de manifester à son endroit un détachement olympien, de manière à lui faire sentir que le temps des framboises était révolu à tout jamais !

Comme s'il voulait, par des signes extérieurs, reconfirmer dans son esprit la justesse de sa décision, il se dressa sur son tabouret, les muscles bandés, cependant qu'une expression de contentement intérieur et de fierté masculine traversait son visage picoté par les rayons du soleil. Sans doute avait-il bien des raisons d'enfler la tête et de se réjouir. Deux jours auparavant, il avait terminé son primaire à l'école municipale de Val-des-Ormes et, en septembre, il devait commencer son secondaire au petit séminaire Saint-Louis, qui pointait sa haute tour médiane sur la colline dominant la ville. Finie, l'école municipale! Fini, le règne des bonnes sœurs! Fini aussi le port de la culotte, avec des chaussettes de laine qui ne protègent et ne réchauffent que le bas de la jambe! Il n'aurait plus les genoux meurtris par les chutes sur le trottoir ou dans la cour granuleuse de l'école. Désormais, il porterait un pantalon de couleur grise, avec une veste croisée bleu marine à boutons argentés, et un bel écusson aux armes du séminaire, cousu sur la poche de poitrine. Quel changement! Une grande école, immense et imposante, où les filles étaient exclues, où il n'y avait que des garçons, que dis-je, des jeunes hommes, et où les prêtres remplaçaient les religieuses. Il suivrait ainsi les traces de Gédéon, l'aîné des garçons, qui était passé par là, il y avait de cela plusieurs années.

En quittant Val-des-Ormes pour aller poursuivre ses études à Montréal, il avait remis à Jouve plusieurs livres dont trois romans de Balzac, reliés en basane, et deux dictionnaires très lourds, l'un latin-français et l'autre français-latin. Jouve les feuilletait souvent, passant de l'un à l'autre, incapable de dire lequel de tous ces volumes il préférait, quoique les dictionnaires, à cause de leur poids, à cause des petits caractères d'imprimerie utilisés, et surtout par les mots étranges qu'ils contenaient, ne cessassent de le fasciner. Quelle différence avec les livres cartonnés de l'école primaire, à gros caractères, bourrés d'illustrations grotesques et d'images de saints en extase, qu'il apportait en classe dans son cartable à bretelles dans lequel manuels, cahiers, crayons, gommes et porte-plume s'entrechoquaient, quand il courait en chemin. Il aurait dorénavant une serviette de cuir à poignée où tout son matériel scolaire serait bien rangé. « D'ailleurs, se disait-il, on ne joue plus dans la rue avec les gamins, quand on fréquente le petit séminaire et qu'on apprend le latin ! »

Depuis des mois, Jouve pensait à ce moment et s'y préparait mentalement. « Attends d'aller au séminaire », lui disait souvent son père, à défaut de lui fournir une longue explication pour justifier un refus quelconque. Il n'entendrait plus cette excuse qui l'exaspérait, mais qui lui laissait aussi entrevoir une liberté d'action susceptible de le libérer des contraintes familiales. De fait, il sentait qu'une profonde mutation secouait tout son être : sa sensibilité acquérait des traits virils, proprement masculins, et semblait échapper à l'emprise exclusive de son cœur. Cela le réjouissait car c'était de cette façon, croyait-il, que les garçons se distinguent des filles et affirment leur indépendance.

Les efforts naïfs qu'il faisait pour rompre le cordon ombilical le reliant à sa première enfance, n'échappaient toutefois pas à l'œil perspicace et futé de son frère Augustin, le pince-sans-rire de la famille. Mme Marans, elle, souriait en suivant le manège de ce dernier par-dessus ses lunettes de presbyte, qu'elle oubliait d'enlever, mais ses yeux pervenche, attendrissants à souhait, reflétaient un léger soupçon de reproche à l'égard d'Augustin, ce qui réconfortait Jouve. Il en fallait beaucoup plus pour désarmer le premier qui savait détourner l'attention de Mme Marans, et, pendant qu'il racontait une histoire, en mettant à contribution les ressources de son talent naturel de comédien, et que toute la famille était suspendue à ses lèvres, il serrait le genou de Jouve sous la table. Celui-ci retenait le cri qui voulait sortir de sa bouche, de peur de se déconsidérer aux yeux d'Adeline et de Sylvaine pour qui il était l'aîné et qui acceptaient sa tutelle, mais il se rendait bien compte du nombre d'étapes lui restant à franchir pour rejoindre le monde adulte.

Pendant ce temps, le père avalait sa soupe à petites gorgées bruyantes : c'était le seul langage que Jouve lui connaissait à table, à l'exception d'un « Assez ! ça suffit ! » fort coupant, lorsque la conversation entre les enfants tournait à l'aigre ou l'empêchait, parce qu'elle augmentait de volume, d'écouter les actualités avec Louis Francœur, que transmettait derrière lui une radio à cadran, ouverte depuis six heures du soir. D'une voix grave et assurée, le présentateur communiquait les dernières informations sur la guerre en Europe. Il semblait à Jouve que les troupes allemandes se déployaient dans toutes les directions et qu'elles entraient en triomphe dans des pays, dans des villes dont les noms, qu'il avait lus dans son manuel de géographie, que répétait inlassablement la radio, avaient une sonorité tragique, en même temps qu'ils se drapaient dans un voile de deuil. Les jours où le commentateur parlait de la participation du pays à la guerre, sa mère prêtait l'oreille et son front étroit se rétrécissait davantage en pensant à Julienne, son aînée, et à Gabriel, tous deux engagés volontaires dans les forces armées canadiennes.

Mais dans sa tête remplie de choses plus simples, tous ces événements lointains s'agençaient de façon fort confuse et ne faisaient plus de sens à la fin. Il ne savait quelle attitude adopter. Devait-il, comme Gédéon, afficher une joie non dissimulée à l'annonce d'une nouvelle victoire allemande, ou maugréer, comme le vieux cultivateur d'origine flamande qui, chaque matin, en traînant sa voiturette d'un pas lourd, apportait le lait à la maison ? Depuis le début des hostilités, il était de méchante humeur et hochait continuellement la tête de gauche à droite, comme s'il voulait esquiver une attaque. Jouve s'avisa que c'était son père qui avait opté pour le parti le plus sage : il gardait ses opinions pour lui et évitait toute discussion sur la guerre. Il se rallia à ce point de vue, pensant qu'une telle position avait le double avantage de donner l'impression d'en savoir beaucoup sur un sujet aussi complexe, — attitude, lui sembla-t-il, tout à fait « adulte », propre à lui assurer une incontestable supériorité sur ses amis de son âge, — et de lui permettre de se désintéresser complètement de la question, qu'il jugeait de toute façon très ennuyeuse, afin de se consacrer à des occupations d'un intérêt immédiat, comme la lecture des romans de Fenimore Cooper et de Karl May, ou mieux la consultation, à des fins qui l'auraient fait rougir s'il avait été forcé de les dévoiler, du *Larousse Mensuel Illustré* dont une série complète, groupée par année, à partir de 1907, et reliée en de gros volumes de maroquin rouge, ornait la bibliothèque du salon. Bien entendu, ce trésor était sous clef, mais il avait trouvé l'endroit où elle était cachée. Il n'eut plus qu'à attendre l'occasion favorable.

Elle se présenta par un après-midi de mai, alors qu'en rentrant de l'école, il trouva la maison vide. Si l'occasion fait le larron, il advint cette fois qu'elle fit plus. En feuilletant, couché à plat ventre sur le tapis vert du salon, un des gros livres défendus, il ne tarda pas à découvrir certaines pages en beau papier glacé, remplies de reproductions de tableaux de peintres à la mode. Quelques-unes, dont l'*Espérance* de Puvis de Chavannes, créèrent chez lui une forte impression : il eut chaud, il ressentit un singulier chatouillement qui se prolongea quelques instants, puis il fut pris d'un léger étourdissement, suivi d'une douce fatigue. Le ronronnement de la Buick familiale arrivant dans la cour le fit sursauter ; il se releva avec la rapidité d'une souricière relâchée à vide, obligé de couper court, à son grand chagrin, à son étonnant voyage dans un monde inconnu jusque-là. Les circonstances n'avaient pas joué en sa faveur depuis lors : la maison ne se désemplissait pas, et la bibliothèque de noyer noir, avec ses portes vitrées et ses courtes pattes torsadées, redevint inaccessible et reprit son terrible secret.

Cependant, le visage en feu, les prunelles dilatées par l'irradiation croissante du soleil, Jouve voyait sans cesse surgir devant lui, comme s'il s'agissait de l'expression d'un regret étouffé, l'image ondoyante, insaisissable et évanescente d'Anne : ses yeux ardents tantôt s'imprimaient en filigrane sur l'eau chatoyante, tantôt s'incrustaient dans les folioles oblongues et dentées des sorbiers près du rivage. Même la fraîche fragrance qu'exhalaient les fleurs matinales en se dégageant de leur enveloppe de rosée, lui rappelait son rire clair, jeune, et éveillait des émotions qu'il avait crues éteintes.

4

Sur le lac, la brume s'était évaporée. Il en restait bien une traînée au-dessus des marécages mais le zéphyr, qui ne saurait tarder maintenant à faire entendre son bruissement, la chasserait. Somptueux et éclatant, entouré d'un halo scintillant, le soleil régnait seul dans le clair firmament, tandis qu'il entreprenait sa lente et triomphale ascension vers le zénith. Ses rayons se dissolvaient sur l'onde en une myriade d'étoiles à l'intérieur d'un gigantesque triangle isocèle au sommet duquel, à proximité du quai, tout cet embrasement convergeait et venait mourir. De cette zone privilégiée, regorgeant de lumière, jaillissaient des étincelles, des parcelles flamboyantes qui retombaient en pluie sur le faîte des arbres, la cime des rochers et le toit des chalets de l'autre côté de la baie. De ce paysage d'une infinie douceur, en apparence impassible, sourdait une vitalité communicative qui animait toute choses et exaltait l'âme. Il eût été impossible de ne pas réagir, de ne pas entrer dans ce mouvement irréversible, dans cette transmutation que le foisonnement de la lumière engendrait.

Jouve succomba : toutes les fibres de son être, toutes les veines de son sang se relâchèrent, puis se dilatèrent comme pour mieux se fondre dans le tourbillon qui l'emportait et qui mettait fin à son rôle de spectateur. Un sentiment de bonheur indicible le submergea et les pores de sa peau, d'un blanc laiteux en ce début de saison, s'ouvrirent à leur tour afin d'accueillir cette sève si chaude et si enivrante. Et des épisodes heureux de ses étés au lac des Ormes se bousculèrent dans sa tête à la manière d'un film présenté en marche accélérée : les châteaux de sable sur la grève qu'Augustin, avec une patience d'ange, enjolivait en y ajoutant des tourelles lambrissées de cailloux, sur les créneaux desquelles pointaient des mortiers en épis de quenouille, et des ponts-levis découpés dans du bardeau de cèdre qui enjambaient des rigoles d'eau brune ; les explorations avec Mathieu dans la forêt épaisse, semée d'embûches, qui délimitait le domaine familial, où, déguisés tous les deux en Hurons, le visage bariolé, hurlant avec toute la force de leurs poumons et brandissant des tomahawks, ils poursuivaient d'imaginaires ennemis Iroquois dans des sentiers matelassés de feuilles mortes, de samares séchées et de cônes ventrus ; et l'orgueil qui avait soulevé sa poitrine, un soir tranquille de juillet, alors qu'accompagnant son père à la pêche comme à l'accoutumée, il avait tout seul retiré de l'eau, les bras tendus et avec une émotion sans borne, un doré de neuf livres, superbe et arrogant avec sa double nageoire dorsale, celle du devant hérissée de pointes osseuses en éventail, celle du derrière plus fine et soyeuse comme un pinceau en poil de blaireau. L'histoire de cette prise, de mémoire d'enfant la plus belle jamais vue au lac des Ormes, alimenta la conversation de la famille pendant des jours. Pour en conserver le souvenir, M. Marans, un peintre du dimanche à ses heures, composa un tableau à l'huile, grandeur nature, de l'imposant vertébré, lequel il accrocha au mur de la salle de séjour entre un paysage de la baie et une nature morte.

C'était aussi l'excitation qui le gagnait certains jours de l'été, quand son père arrivait de la ville avec le chanoine Mouchette, qu'il avait invité à dîner, ou que des parents, oncles, tantes ou cousins, ou des amis de la famille s'amenaient au chalet à l'improviste. Après le repas, les hommes restaient sur la galerie ou descendaient sur la terrasse pour fumer, qui la pipe, qui la cigarette, en devisant gaiement, pendant que les femmes, à l'intérieur, desservaient la table et s'attardaient dans la cuisine après avoir fait la vaisselle. Et les jeunes, entraînés par Gaby ou par Augustin, jouaient une partie de cache-cache autour de la maison. Jouve aimait suivre Gaby, car il dénichait toujours les meilleures cachettes et ne se faisait jamais prendre. Quand le soleil commençait à disparaître derrière l'horizon, les filles, qui étaient fatiguées de courir, demandaient grâce et suggéraient un colin-maillard à la grande satisfaction de tous.

Les soirs de juin, comme il y avait encore des moustiques, on allumait un feu sur une grande roche plate, un feu de brindilles sur lequel on jetait, une fois qu'il était bien pris, des brassées d'herbe fraîchement coupée qui, en étouffant la flamme, produisaient beaucoup de fumée. Mais un tel procédé modérait un peu trop l'ardeur du feu qui risquait de s'éteindre ; il fallait, avec une branche séchée, trouer l'épaisse couche de graminées vertes à peine roussies, parce que trop humides encore, et raviver les braises en dessous. La lutte qui s'engageait captivait l'attention de tous : le feu reprenait graduellement le dessus, il formait une espèce de disque rougeoyant dont le pourtour s'évasait, à mesure que l'herbe séchait, jaunissait, puis qu'elle se tordait en pétillant de rage, avant de disparaître dans le cratère en fusion dont les rayons chantournaient les visages et faisaient reculer ceux qui s'étaient approchés de trop près. Augustin n'attendait pas que la victoire du feu fût totale ; il courait au bout de la terrasse et rapportait d'autres brassées d'herbe qu'il répandait sur les flammes.

Pendant ce temps, Gaby était allé chercher sa guitare. Toute la bande faisait cercle autour de lui. Avec ses cheveux noirs pommadés, peignés vers l'arrière, son front haut légèrement dégarni, ses yeux de lynx et sa moustache découpée comme deux cônes de bouleau juxtaposés, sous un nez fier aux narines vibrantes et fouineuses, il ressemblait à un tzigane perdu parmi des gadjé. Assis en tailleur sur le gazon, il fredonnait des chansons mexicaines en grattant les cordes de sa guitare. Il était question d'amour, de fleurs et de la Vierge Marie. Muriel qui, à cette époque, s'était amourachée de Gaby, se rapprochait de ce dernier et le regardait avec des yeux langoureux, pensant de cette façon communier avec lui et attirer son attention. Mais c'était peine perdue : il paraissait absent, si lointain, l'esprit ailleurs, emporté par ses rêves d'errance et d'exaltation romanesque, refusant de nouer des liens trop permanents et de s'attacher à quelque lieu que ce fût. Qu'il était beau avec son teint bronzé, qui reluisait sous l'éclat des flammes, et son mouchoir rouge, attaché en lavallière autour du cou ! Jouve et Mathieu, couchés à plat ventre sur l'herbe, en face de lui, se laissaient bercer par le rythme ondulé des notes, dans une admiration qu'ils n'arrivaient pas à dissimuler. Mais la compagnie réclamait ensuite des chansons en français, des refrains connus. D'une voix douce et encore timide, Ève entonnait :

> Le bateau des îles,
> Le bateau des amoureux,
> Sur la mer tranquille,
> Vogue sur les flots bleus.

Une éternité avait passé depuis ! Gaby, enrôlé dans l'aviation, venait de rejoindre, en Grande-Bretagne, Julienne, l'aînée de la famille, qui était capitaine dans le corps médical de l'armée canadienne et infirmière en second d'un hôpital militaire près de Crowthorn, dans le Berkshire.

M. Marans poussa un soupir et fit craquer le lit en se retournant. Surpris, Jouve figea sur son tabouret et retint son souffle dans la crainte d'éveiller ses parents et de se faire dire d'aller se coucher. Le soleil noyait une partie de la chambre et dardait ses jets lumineux sur la tête du lit et le parquet de pin orange vif. La figure ovale de sa mère en était comme illuminée : ses cheveux gris, moirés de filaments bleus et violets, en désordre sur l'oreiller, encadraient son front légèrement bombé que traversaient des sillons minuscules et qui luisait comme du papier de soie. Un restant de fard incarnadin colorait ses joues, entre lesquelles disparaissaient des lèvres menues, à peine dessinées, mais que rehaussait un nez droit et fier. Même couchée, dans un abandon qu'elle ne se serait pas permise debout, elle gardait son port de reine et commandait le respect. Jouve en fut saisi : pour la première fois, il se rendit compte combien sa mère était belle. À côté de son mari, dont la tête noire et hirsute écrasait l'oreiller de sa lourdeur, elle suggérait un singulier contraste où se mariaient sa noblesse intérieure et sa distinction naturelle. Pour un instant, Jouve redevint un enfant et souhaita se faire dorloter comme jadis, quand elle venait border son lit avant qu'il ne s'endormît, que, s'attardant, elle s'asseyait près de lui et lui passait amoureusement la main dans les cheveux.

Ces minutes inoubliables avaient été rares toutefois. Malgré la très grande tendresse dont elle savait faire montre à l'occasion, ses caresses étaient parcimonieuses ; ses affections, avares sinon intéressées. Capable de générosité, elle s'arrêtait dans la manifestation de ce sentiment lorsqu'il débordait dans la pure gratuité. Si elle s'abandonnait, c'était avec retenue, jamais totalement. Il y avait derrière ses attitudes à l'égard de son entourage, derrière le moindre de ses gestes, une sorte d'écran, une barrière infranchissable qui délimitait leur portée. L'élégance orgueilleuse de sa démarche et la fierté de ses manières n'étaient pas sans renforcer cette impression, et coupaient court d'ailleurs à toute velléité de la part des autres de violer son monde intérieur.

Dans un autre siècle, dans le pays de ses trisaïeuls, la France, elle aurait pu être marquise, mais une marquise à la façon de Madame de Sévigné, et non de la Pompadour. Ses lettres étaient révélatrices à cet égard car elle écrivait beaucoup, dans ce style cursif et agile, tout en nuances et demi-teintes avec parfois des rebondissements imprévus et des aveux spontanés, dans un style aussi sans artifices, si naturel chez les femmes d'une intelligence au-dessus de la moyenne qui, après la quarantaine, mesurent l'écart entre leur vie et leurs aspirations. Ses lettres, plus que sa manière d'agir dans la vie courante, témoignaient de la richesse de sa nature et de l'ardeur de ses sentiments. Là, elle redevenait elle-même ; là, elle jetait le masque : ce qu'elle n'arrivait pas à dire à son mari, ou même aux plus vieux de ses fils, elle le dévoilait à ses correspondants, qu'ils fussent ses sœurs ou ses frères, ses nièces ou ses neveux, ou Julienne. C'est à travers eux qu'elle assouvissait son lyrisme, qu'elle cherchait, soit en analysant leurs problèmes et en leur prodiguant des conseils, soit en compatissant tout simplement à leurs douleurs et en dispensant des mots d'espoir, à compenser le grand amour qui lui avait été refusé, dont elle avait, toute jeune fille, tracé la courbe en lisant Paul Bourget, à l'époque où elle étudiait chez les Ursulines de Québec. C'est toutefois dans sa correspondance avec son aînée et avec ses nièces préférées qu'elle poussait l'épanchement à son point ultime et qu'elle révélait, par son insistance à tout ramener à un certain angle, voire par la répétition des mêmes exhortations, l'immense déception que lui causait l'absence dans sa vie de ce luxe gratuit, délicat, parfumé même,

43

qu'elle estimait naturellement nécessaire à l'épanouissement de l'amour avec un grand A.

Les soirs d'hiver, quand les enfants étaient couchés, que son mari lisait au salon et que toute la maison reposait dans le calme, elle s'installait à son secrétaire Régence dans un coin retiré du boudoir, la porte fermée, toutes lumières éteintes, sauf la lampe de bureau éclairant son sous-main. De sa belle écriture inclinée qui mettait à nu la sensibilité de son âme et trahissait ses aspirations affectives, où les majuscules élancées, isolées des lettres réunies par groupes dans un graphisme net et précis, suggéraient un remarquable équilibre mental et une intuition parfaitement contrôlée, elle composait d'un seul jet, sans effort, des lettres de plusieurs pages où les ratures, si rares, avaient même de l'élégance. L'inspiration semblait couler de source et les mots les plus communs, les expressions les plus banales recevaient sous sa plume leur plénitude. Depuis que Julienne était outre-mer, il ne se passait pas de jour qu'elle ne lui écrivît.

Jouve, qui tardait à s'endormir dans la grande chambre souvent vide depuis qu'il l'occupait pratiquement seul avec Augustin, venait la surprendre à l'insu de son père qui l'aurait dare-dare renvoyé se coucher. Même si elle détestait se faire déranger pour rien, elle était si heureuse lorsqu'elle faisait sa correspondance et, au surplus, elle aimait tellement dans ces moments partager sa joie qu'elle l'attirait vers elle et lui passait un bras autour du corps, tandis qu'elle lui lisait quelques passages de la lettre commencée, sollicitant son approbation, manifestant sa satisfaction avant même qu'il n'eût pu répondre. Comme ce matin, son visage éclairé de côté par la lampe sortait de l'ombre et ses cheveux gris, retenus en toque très floue, au haut de la nuque, se transformait sous l'effet de la lumière en blond cendré. On eût dit une peinture de Georges de La Tour.

Afin de ne pas rompre le charme de ces minutes et de les faire durer, Jouve tantôt demandait à sa mère d'expliquer un paragraphe d'une lettre de Gaby, reçue la journée même, ou de lui parler de Julienne qu'il connaissait à peine et qu'il considérait beaucoup plus comme une tante éloignée que comme une sœur, tantôt feignait de ne pas comprendre les mots qu'elle venait d'écrire et exigeait, avant d'émettre une opinion, une relecture de toute la lettre dont les phrases vives et harmonieuses le berçaient. Sans trop s'interroger, il avait pourtant remarqué que se glissaient dans ses lettres, depuis quelque temps déjà, des accents de tristesse et d'inquiétude qu'elle essayait de lui dissimuler, et que de ses yeux bleus perlaient parfois des larmes qu'elle essuyait furtivement avec son mouchoir brodé qu'elle broyait ensuite dans sa main. Sa belle assurance de jadis s'affaissait et se teintait de mélancolie. C'était davantage la mère déchirée par les horreurs de la guerre et en proie à mille tourments à cause des risques encourus par ses deux enfants que la femme ardente, si sûre de sa beauté et de sa puissance de séduction, qui s'exprimait désormais dans ses lettres. Il s'agissait moins maintenant de conseiller que de rassurer, moins d'inspirer que d'apaiser. Et ce changement chez elle, au lieu de l'abattre et d'altérer ses traits, lui avait insufflé une ferveur

nouvelle, lui ouvrait en quelque sorte une avenue, autrement plus féconde que la vaine poursuite de ses rêves de jeune fille, par où s'exté-
riorisaient sa noblesse de caractère et l'intensité
de ses sentiments. Sa beauté restait intacte :
elle n'en acquérait que plus de profondeur. Son
port altier, au lieu d'être commandé comme
déjà par son désir de grandeur et de n'être
somme toute qu'une façade, impressionnait
encore plus parce qu'il reflétait sa volonté farouche de défendre deux êtres nés de sa chair qui
avaient choisi de servir leur pays.

Elle en tirait aussi un motif d'orgueil car,
dans son cercle d'amies, elle était la seule qui
avait un fils et une fille à la guerre. Cette situation lui conférait une certaine supériorité sur les
autres et, dans les soirées où s'agglutinaient les
notables de la ville avec leurs grosses épouses
poudrées, elle parlait le plus naturellement du
monde de Londres, de ses quartiers ravagés par
les bombes allemandes, sans oublier les pigeons
de Trafalgar Square et les pierres tombales de la
cathédrale de Westminster, avec les mots et
l'exactitude d'une personne familière avec ces
lieux. Tous et chacun se faisaient donc un
devoir de lui demander des nouvelles de Julienne et de Gaby que « le devoir, comme
aimaient lui répéter les pédants, avait appelés
sous les drapeaux afin de défendre la démocratie contre les hordes teutoniques ». C'était pour
ceux qui la connaissaient moins, ou qu'elle
gênait, une occasion de lui adresser la parole.
Cela la flattait car, au fond, son désir d'être
admirée l'emportait sur celui d'être aimée :
ceux qu'elle jugeait dignes de son amitié dans
cette ville de province, aux horizons bornés, où

elle avait tant souffert à son arrivée, se comptaient sur les doigts de la main, tandis que l'admiration, laquelle n'impliquait aucune concession de sa part, satisfaisait son orgueil, pouvait même venir de partout sans pour autant l'engager dans des relations de familiarité avec des gens qu'elle n'aurait jamais salués dans la rue ou sur le parvis de l'église, et qui, de toute façon, ne lui plaisaient pas.

À propos de l'église, c'était là que, le dimanche matin, elle remportait son plus beau triomphe. Peu après le début de la grand-messe, alors qu'un silence religieux venait de s'installer dans l'enceinte sacrée, elle apparaissait dans l'allée médiane de la cathédrale, la tête haute sous sa toque de fourrure et le corps droit emmitouflé dans un élégant manteau d'astrakan noir. Digne, sereine, elle avançait à pas mesurés en heurtant légèrement le parquet de chêne avec sa canne. Le dos courbé, moins grand qu'elle, prosaïque dans sa démarche comme dans sa vie professionnelle, son mari la suivait derrière, indifférent aux regards qu'elle attirait et aux murmures qui s'élevaient sur son passage. Ils prenaient place dans le banc qui leur était réservé (M. Marans était marguillier) aux premiers rangs de la nef principale, au moment où le sous-diacre se tournait vers les fidèles pour lire l'épître. Une nouvelle fois, elle avait réussi son entrée !

Même Mme Langevin, héritière d'une vieille famille bourgeoise de Montréal et mariée à un médecin lui-même enrichi par la pratique de sa profession et un sens aigu des affaires, ne pouvait rivaliser avec elle. Bien qu'elle portât un manteau de chinchilla et que ses boucles d'oreilles fussent serties de diamants, elle était désavantagée par une taille trop fine et un visage aux joues creuses que plusieurs couches de fard n'arrivaient pas à corriger.

Du chœur où il était un des chantres, Jouve s'apercevait de l'arrivée de ses parents ; son compagnon de gauche ne manquait jamais d'ailleurs de le lui signaler d'un coup de coude. Son corps se cambrait de fierté de voir sa mère si belle, si différente des autres : sa présence semblait ennoblir le caractère roturier de cette assemblée. Pour ne pas montrer qu'elle portait des lunettes, Mme Marans gardait son missel dans sa main sans lire, regardant droit devant elle, les yeux fixés sur le célébrant. Sa foi était simple, sincère. Pour elle, comme pour toute épouse, toute mère de famille de cette époque « pré-laïque », la religion était un rempart indispensable, un asile inviolé et inviolable. Elle lui commandait d'adorer Dieu, d'honorer ses saints, d'exhorter les siens à prier, et l'autorisait, discrètement, à croire aux vertus miraculeuses de l'huile de Saint-Joseph qui figurait en bonne place dans la pharmacie familiale et qu'elle utilisait comme pommade de secours. Dans la pratique, elle paraissait surtout soucieuse de se plier aux mœurs de l'époque et d'élever sa famille dans le conformisme religieux qui en était l'expression spirituelle, lequel, au surplus, ne nuisait nullement à la poursuite de son bien particulier. Si elle n'avait jamais jugé utile d'approfondir sa foi, ce n'était pas par manque de rigueur morale, c'était qu'elle craignait plutôt, en femme intelligente qu'elle était, d'en percevoir la fragilité, et qu'elle se refusait à envisager l'effondrement de sa vie religieuse.

Croire sans poser de questions inutiles, invoquer avec ferveur le saint du jour, assister aux offices religieux, ces simples préceptes comblaient, somme toute, ses besoins religieux et lui paraissaient conformes aux règles de bienséance de la bonne société de Val-des-Ormes.

Il arrivait certains jours que sa confiance en elle-même craquait et que le découragement la prenait. Elle enflait la voix à la table, se plaignait de ne pas joindre les deux bouts et allait même jusqu'à reprocher à ses enfants de coûter cher. Il était alors plus prudent de décamper : Augustin attrapait son chapeau et disparaissait ; Ève et Louise s'enfuyaient dans le salon, l'une pour pratiquer son violon, l'autre pour jouer du piano, abandonnant à la table les deux plus jeunes, Adeline et Sylvaine, trop absorbées dans la délectation de leur dessert pour remarquer ce qui se passait ; Martine, elle, se réfugiait dans la cuisine, tandis que Jouve grimpait l'escalier à toute vitesse et s'enfermait dans sa chambre pour lire. La discussion se terminait abruptement faute d'interlocuteurs. Elle avait beau prendre son mari à témoin, celui-ci haussait les épaules en sirotant son thé vert et se disait sans doute qu'il en avait vu bien d'autres. Lorsqu'elle avait cette humeur maussade, elle exagérait ses maladies, elle suppliait son mari d'engager une nouvelle bonne (la dernière n'avait pu endurer ses caprices et l'avait quittée après deux mois) afin de la soulager. Comme pour prouver qu'elle avait raison, elle s'alitait et faisait venir d'urgence le docteur Burgaud. Martine lui montait ses repas dans sa chambre, s'affairait autour de son lit et la dorlotait de mille façons, car l'expérience lui avait appris qu'il valait mieux, dans ces moments de crise, aller au-devant de ses désirs et ne pas la contrarier, sauf pour protester avec la dernière énergie lorsque Mme Marans se plaignait que son cœur faiblissait, que ses forces dépérissaient, etc.

Un silence lourd, brisé par la sonnerie de la pendule dans le boudoir et le bruit des casseroles dans la cuisine, s'installait dans toute la maison où rôdaient des odeurs d'hôpital. Le gramophone à ressort cessait de jouer au grand désespoir d'Ève et de Louise. Les repas autour de la grande table rectangulaire, recouverte d'une nappe de toile cirée à fleurs, duraient moins longtemps qu'à l'ordinaire et n'étaient égayés que par les taquineries à mots couverts, les blagues en sourdine d'Augustin, toujours incorrigible, dont la capacité de rire et de faire rire était proportionnelle à la gravité de la situation. Le front du père se plissait davantage, son dos paraissait plus cassé. Adeline et Sylvaine évitaient de l'approcher tant l'air sévère et ennuyé qu'il avait ces jours-là les effrayait, et, comme il leur était interdit d'aller déranger leur mère, elles étaient constamment dans les jupes de la pauvre Martine, laquelle, devant leur regard angoissé et malgré son surcroît de travail, arrivait à leur consacrer plus de temps. Quant à Jouve, c'étaient les visites quotidiennes de sa mère avant le coucher qu'il manquait. Quand elle avait fait l'achat d'une robe ou qu'elle essayait un nouveau chapeau, quand ce n'était uniquement que pour lui montrer sa toilette avant de sortir, elle s'amenait dans sa chambre et paradait devant lui, en demandant si ça lui allait bien, si ça l'avantageait. Ce n'était évidemment qu'un prétexte pour se faire admirer mais Jouve, trop jeune encore pour déceler son jeu, était de toute manière touché qu'elle en appelât à son goût. Du pupitre où il faisait ses devoirs, il la voyait apparaître dans l'embrasure de la porte, altière et vaporeuse comme une fleur de tulipe, avec son collier de perles lui enserrant le cou et sa chevelure relevée qui, dans la lumière fusant du couloir, se teintait de reflets céruléens.

5

S'avisant qu'il y avait dans le rappel de son
enfance quelque chose de puéril qui s'accordait
peu avec sa « maturité » nouvellement conquise,
Jouve chassa toutes ces images de son esprit
pour se replonger dans le spectacle qui s'offrait
à lui. L'eau transparente, à peine froissée, réflé-
chissait le paysage de l'autre côté du lac : le ciel
sans taches, les montagnes étirées, presque écrasées à l'arrière, la maison de ferme à gauche
sur la terre basse à l'embouchure de la rivière,
avec ses bâtiments attenants au milieu desquels
s'élevaient des ormes vétustes et de longs frênes,
puis, ici et là, quelques chalets rustiques, amé-
nagés dans les endroits déboisés près de la rive,
et tout à fait à droite le liseré beige, en forme
de peigne, d'une grève sauvage étouffant sous
les conifères qui la ceinturaient.

Cependant, c'est plus au nord, à l'intérieur
de l'anse dont la pointe orientale formait une
presqu'île vaseuse, cachant la rivière, que ses
yeux, fascinés, s'arrêtèrent. Au fond, une villa
blanche, reposant à l'arrière sur un rocher bombé

comme une outre et s'appuyant à l'avant sur des pilotis de cèdre plantés dans l'eau, commandait toute la baie. Assez curieusement, elle ressemblait à une place fortifiée des premiers temps de la Nouvelle-France. Une petite clairière isolait le rocher et son étrange coiffe de la futaie de sapins qui circonscrivait la zone habitée du domaine. Des massettes disposées en formation de combat jalonnaient, en rangs serrés, la rive marécageuse autour du rocher ; leurs hautes tiges frémissaient sous le poids des épis et semblaient comme autant de lances prêtes à lacérer le corps du premier importun qui aurait osé pénétrer le secret de ces lieux. En avant et de chaque côté de ce régiment de lanciers, apportant en quelque sorte une protection supplémentaire, des joncs en touffes épaisses hérissaient l'eau basse et stagnante. Aucun canot à moteur ne se serait aventuré dans ce voisinage inhospitalier, piégé. Au surplus, à cause de la configuration des lieux où les vents n'avaient pas de prise, des brouillards très denses s'accumulaient dans le creux de l'anse dès le crépuscule et ne se dissipaient qu'à l'aube. C'est ainsi que la nuit, quand la lune éclairait faiblement la surface du lac à travers des cirrus, la partie la plus renfoncée ressemblait à un gouffre béant où s'effondrait la ligne de l'horizon et d'où auraient pu surgir inopinément on ne sait quelles Érinyes.

Ce phénomène à lui seul contribuait à épaissir le mystère de cette singulière construction à demi lacustre, au demeurant le pôle d'attraction de la baie.

Elle était pourtant habitée, et bien habitée !

54

Il s'agissait d'une authentique maison de campagne, mais la famille à qui elle appartenait était aussi étonnante, les voisins diraient aussi bizarre, que le lieu. Originaire d'Écosse, le major Ian MacLeod avait émigré au Canada, au lendemain de la Grande Guerre, et était venu s'établir à Val-des-Ormes avec sa femme, la fille d'un tisserand de Bailleul, qui s'était jetée à son cou lorsque le bataillon de tanks qu'il commandait était entré dans ce bourg du Nord farouchement disputé par les Allemands. Grâce à une remarquable économie de moyens et un grand acharnement au travail, le major avait monté une affaire de coupe de bois, déjà si solidement implantée à la fin des années vingt qu'elle résista à la crise économique : c'était la « Val-des-Ormes Lumber and Paper Company Limited ». On expliquait la raison sociale anglaise de l'entreprise, dans cette ville canadienne-française qui ne comptait que trois ou quatre familles d'origine anglo-saxonne, par le fait qu'elle vendait tout son bois et les produits dérivés à des grossistes américains. Un tel raisonnement n'agréait pas à Gédéon bien entendu : chaque fois qu'il lisait cette appellation « barbare » dans l'hebdomadaire local, il fumait à en perdre le souffle.

Bien que le major parlât un excellent français avec un joli accent, il préférait transiger dans la langue de ses pères. Appréhendait-il d'utiliser une langue châtiée et précise que la majorité de ses interlocuteurs dans la vie quotidienne, des bûcherons et des draveurs, des ouvriers et des paysans, au parler rude et court et au vocabulaire limité, n'auraient peut-être pas comprise ? ou avait-il l'impression que le seul langage des affaires en Amérique était l'anglais ?

Bien malin qui aurait pu le dire! Toujours est-il que personne, à l'exception des dames de la bourgeoisie locale à qui, au hasard des rencontres, il faisait l'hommage d'un compliment, ne l'avait depuis fort longtemps entendu s'exprimer en français. Il s'ensuivait que nul n'aurait eu l'idée de lui adresser la parole dans cette langue. Pourtant, il s'était bien efforcé à son arrivée à Val-des-Ormes d'utiliser la langue commune, mais cette particularité avait si étonné les braves citoyens de la ville pour qui un Écossais ne devait de toute évidence qu'entendre l'anglais, qu'ils s'entêtèrent à lui répondre dans cette langue, même si la majorité d'entre eux la connaissait fort mal. Ne comprenant absolument rien à ces subtilités linguistiques, le major Mac-Leod céda et resta... Écossais!

Ses manières courtoises, sa raideur toute britannique atténuée par une grande modestie, de même que sa vie active et sévère de protestant de tradition victorienne, lui avaient gagné le respect de toute la population. Il avait certes fière allure les fois où on le voyait parcourir allégrement les rues marchandes de Val-des-Ormes, avec ses longues jambes de highlander, avec son chapeau de feutre noir à bords rabattus sur sa crinière rousse, rebelle, sous laquelle émergeait, aux proéminences, son teint rose de poupon. Quoiqu'il consentît à ce que ses deux fils fussent élevés dans la foi catholique, la religion de leur mère, il insista pour qu'ils reçussent une éducation anglaise; aussi les avait-il envoyés, très jeunes, en pension dans une école privée de langue anglaise dans les cantons de l'Est, au sud de Montréal.

56

Les époux MacLeod fréquentaient peu la société de Val-des-Ormes. Ses affaires amenaient le major à voyager beaucoup dans la région et ses journées se prolongeaient jusqu'au début de la soirée. Quand il rentrait chez lui, sa femme l'accueillait avec quelques bons plats cuisinés dans lesquels entraient toute la tendresse qu'elle éprouvait pour le «libérateur» de sa ville et tous les secrets de la cuisine flandrienne. Après le dîner, il se retirait en compagnie de Kerque, son fidèle terre-neuve, dans le *den* de sa confortable maison de pierre grise de style normand. Flanqué de deux énormes cheminées, le manoir des MacLeod était construit sur une colline boisée et isolée, dominant la ville et la rivière des Ormes en contrebas, qui coupait la première en deux, et le long de laquelle le major pouvait suivre, au printemps, la descente sinueuse et paresseuse des billes qui allaient alimenter sa scierie à quelques milles en aval.

Les privilégiés qui avaient franchi le seuil de cette demeure, objet d'envie des notables de la place, rapportaient, pour s'en étonner, que ses vastes pièces étaient remplies de «vieilleries», comme ils disaient, telles que des armoires à pointes de diamant, des buffets de dimensions diverses, des chaises et des bancs rustiques, des bibelots d'un autre âge, toutes choses qu'on trouvait encore dans des maisons de ferme centenaires du Québec, mais que les bourgeois dédaignaient pour se meubler à l'américaine, dans le goût du jour. Ignorants qu'ils étaient de la valeur réelle de ces authentiques produits de la menuiserie canadienne du XVIIIe et du XIXe siècle, ils jugeaient que ces meubles éraflés aux angles, craquelés par les ans et les variations climatiques, usés aux endroits les plus touchés, dont la couleur originale disparaissait souvent sous plusieurs couches de crasse et de peinture, ne méritaient que d'être débités et utilisés comme bois de chauffage.

Mme MacLeod pensait autrement. Ces objets oubliés lui rappelaient ceux de son pays d'origine : même procédé de construction, même absence de recherche dans le style, même naïveté aussi dans le dessin et la disposition des éléments décoratifs, avec en plus cet accent rustique des pays du Nord. En consacrant des heures à les décaper, à les restaurer, à essayer de leur rendre leur beauté première, elle avait l'impression dans ce coin d'Amérique, qu'elle avait cru peuplé surtout d'Indiens, et si loin de Bailleul, et si inhospitalier pour qui n'en comprend pas l'âme, de tisser un lien avec son passé français, en même temps qu'elle établissait la communication avec son nouveau milieu. Son mari dont l'adaptation avait été, assez paradoxalement, plus rapide que la sienne, l'avait encouragée dans cette voie et l'aidait à satisfaire sa passion. Lui-même de souche terrienne, familier à ce point avec les arbres qu'il pouvait identifier toutes les essences d'une même famille, il se laissa facilement gagner par l'enthousiasme de sa femme et prit goût à un mobilier si en accord avec la vie à la campagne. Aussi profitait-il de ses tournées régulières dans les Laurentides et de ses voyages bisannuels dans la vallée du Saint-Laurent pour acheter chez l'habitant, pour une bagatelle, commodes, rouets, coffrets, ustensiles en étain, depuis longtemps relégués au grenier ou dans la grange. Mme MacLeod, une fois les découvertes de son mari triées, classées, évaluées, occupait les longues journées de l'hiver à les réparer et à effacer les outrages du temps et des hommes.

L'été, dès le retour des garçons, la famille réunie transportait ses pénates au lac. Gédéon prétendait, sur un ton badin où perçait un peu de persiflage, que le major avait eu l'idée de se construire un chalet-fortification en feuilletant un manuel d'histoire de la Nouvelle-France, qu'il avait sans doute trouvé par hasard dans la bibliothèque scolaire de ses fils. L'explication, au fond, n'avait aucune importance. Le style et l'emplacement choisis non seulement s'harmonisaient avec le goût des MacLeod pour les vieilles choses mais contentaient leur souci, encore plus prononcé, de préserver leur intimité familiale. Obtenu en échange d'un contrat de coupe, le terrain, à cause de son inaccessibilité et de sa superficie, était une assurance contre les intrus et se prêtait à merveille à la construction de l'habitation de pionniers dont ils rêvaient.

Par ce matin clair et ensoleillé où le brouillard au-dessus de la baie s'était dissipé plus vite qu'à l'ordinaire, le chalet des MacLeod dévoilait l'étrangeté de ses lignes et la sourde beauté de sa présence. Il sembla à Jouve qu'il ne l'avait jamais vu silhouetté de façon aussi nette sur sa double rangée de piliers. Imaginez une construction de deux étages en bois équarri, blanchi à la chaux, de forme rectangulaire sur la façade, assise sur une imposante plate-forme de pruche que bornait un parapet bas, bâti avec des rondins couchés les uns sur les autres. L'ensemble donnait l'impression d'une place forte : l'étage supérieur formait saillie et l'extrémité de ses solives portait sur des corbeaux en bois à la manière de ces constructions de l'époque coloniale qui occupaient les angles des fortifications. En outre, sa façade s'ornait de trois croisées étroites comme des meurtrières ; même arrangement en bas, sauf que la baie du milieu, plus large, servait de porte. Le toit de bardeaux, à quatre versants et dominé par une haute cheminée de briques rouges, atténuait la sévérité de l'ouvrage et brisait sa monotonie architecturale. Le soleil, qui lançait le feu irisé de ses rayons sur la face sud du chalet, semblait soulever celui-ci, avec sa plate-forme, de son socle de roc et de pieux et lui prêter une dimension démesurée, tandis que son ombre allongée lisérait la forêt de l'autre côté.

Une habitation aussi insolite excitait la curiosité des habitants du lac et des environs. Les beaux jours de l'été, quand d'aventure des visiteurs ou des amis de la ville s'amenaient qui ne connaissaient pas l'endroit, on allait, de la rive opposée ou d'une embarcation sur le lac, leur montrer le chalet lacustre sur la petite histoire duquel l'on énumérait moult détails qui, même erronés ou inventés de toutes pièces, ajoutaient à la légende de la famille MacLeod. Détail amusant, le chalet paraissait toujours inhabité : son style fruste et austère et son cadre rude et sauvage le rendaient peu propice à des ébats champêtres et à des activités estivales, par le biais desquels se serait manifestée la présence de ses occupants et exprimée leur façon de vivre. Même le soir, à moins de s'approcher du bord, on ne voyait aucune lumière filtrer à travers les étroites fenêtres. De fait, c'était à l'ar-

rière de l'habitation sur une terrasse en sur-
plomb, aménagée sur un terrain rocailleux et
soustraite à la curiosité du monde extérieur,
que les membres de la famille se doraient au
soleil ou cherchaient la fraîcheur du soir après
une journée chaude. L'endroit, par voie de
terre, était difficile d'accès : il fallait suivre une
route poussiéreuse, à l'extrémité nord de la
baie, jusqu'à un bois épais d'où partait un chemin de terre battue, plein de cahots, à l'entrée
duquel la barrière, toujours fermée, affichait la
double mention : « Entrée interdite — Private
Property ». Le chemin, tapissé de mauvaise
herbe, longeait un petit étang, assez profond
pour permettre aux fils MacLeod de s'y baigner,
et conduisait jusqu'au pied de la terrasse.

Les riverains de l'autre côté de la baie savaient toutes ces choses : ils étaient donc en
mesure de rassurer les curieux et de leur dire
que la villa, en dépit des apparences, était bel
et bien habitée. Mais là s'arrêtaient leurs fonctions de guide. Aucun d'entre eux n'avait jamais été invité à visiter le domaine et partant
ne pouvait en décrire les aspects cachés. Le
docteur Burgaud, que la fraternité des armes et
l'exercice de sa profession auraient dû normalement rapprocher du major MacLeod, n'avait
pas eu l'occasion de s'y rendre, soit que les
consultations qu'il donnait aux membres de la
famille eussent toujours lieu à son cabinet ou
au manoir normand de Val-des-Ormes, soit que
le major eût jugé que ses rapports avec son médecin devaient rester professionnels. Les plus
vieux en avaient pris leur parti depuis
longtemps : pour eux, la bizarre demeure s'intégrait au paysage comme les deux pins bleus
et bulbeux qui se dressaient, tels des sentinelles

61

indiennes assoupies, sur le tertre de sable dénudé à l'extrémité de la presqu'île. Quant aux jeunes gens de l'âge d'Augustin et de Muriel, ils avaient des préoccupations plus intéressantes, comme celles d'aller danser le quadrille chez le père Paquin, à la ferme des Prés, ou de se rendre en joyeuse bande jusqu'à l'auberge des Ormes, au bout du lac, pour vider une chope de bière et roucouler sur la berge, loin du regard sévère des parents.

Pour Jouve et son ami Mathieu, c'était une autre histoire: l'indifférence de leurs aînés à l'endroit de la villa en question ne les abusait pas. Encore à cet âge merveilleux où l'imaginaire balaie le réel, où l'esprit d'aventure n'accepte aucun compromis, loin d'être pour eux une paisible maison de plaisance, l'étrange construction sur pilotis défiait le peuple de la baie et représentait une menace permanente. Cette forteresse redoutable, si attirante, à l'intérieur de laquelle s'activaient des soldats armés de mousquetons et leurs alliés Iroquois portant orgueilleusement l'arc et le carquois, cette citadelle menaçante qui protégeait un village masqué par la forêt de sapins derrière, ils se devaient de l'investir et d'en chasser les occupants.

À toute heure du jour, où qu'ils se trouvassent dans leurs vagabondages autour de la baie et sur le lac, la silhouette envoûtante, l'ombre troublante de la villa MacLeod découpait l'horizon et aiguisait leur imagination. Ne voyaient-ils point des culasses de fusils et des flèches empoisonnées à travers les meurtrières? Le garde-fou de bois n'était-il pas en réalité un rempart en pierre sur le rebord duquel les assiégés, s'ils étaient poussés à bout, feraient couler de l'huile brûlante ? N'entendaient-ils pas après le dîner le pibrock qui sonnait le rassemblement et le major qui criait des ordres ? Qu'à cela ne tienne ! Ces manœuvres ne les effrayaient nullement. Ils avaient imaginé diverses stratégies pour prendre la place d'assaut sans coup férir car, devant un ennemi aussi puissant, il fallait user d'astuce, compenser par la ruse leur faiblesse numérique. À part eux et les frères Séguin dans le tournant de la baie, dont ils savaient l'habilité à manier la fronde, la rive ouest ne comptait aucun combattant prêt à s'associer à une entreprise aussi périlleuse et à y risquer sa vie. Certes, ils n'avaient jamais essayé de lever des troupes, mais ils avaient volontiers reconnu, quand l'idée de l'attaque avait germé dans leur esprit, que les braves étaient aussi rares que les trèfles à quatre feuilles. Quant aux filles, pouvait-on s'y fier ? Tout au plus pourraient-elles préparer le bivouac et soigner les blessés. D'un côté comme de l'autre, Jouve et Mathieu ne se faisaient pas d'illusions. Ne valait-il pas mieux, somme toute, mener l'affaire seuls, à l'insu de tout le monde, et en tirer tout le profit ? Pourquoi partager avec d'autres un butin aussi alléchant ?

C'est dans un repaire naturel entre deux roches, protégé par les branches d'un vieux saule, juste à l'embouchure du ruisseau, qu'ils avaient établi leur P.C. L'endroit, bien situé géographiquement, commandait une excellente vue sur l'anse en face. Avec une lunette d'approche, ils étaient à même de surveiller tous les mouvements de l'ennemi et de déceler les points faibles dans sa défense. Mais ils n'étaient pas dupes : même si la place paraissait calme et déserte, il fallait se méfier. Sûrement

qu'il y avait des sentinelles tapies dans les ty-
phas ou arpentant la place d'armes, le doigt sur
la gâchette de leurs mousquetons, et, à l'affût
derrière les sapins, des Iroquois à la peau rayée
de rouge et de blanc.

Après de multiples réunions de stratégie
autour d'une petite table bancale, sur laquelle
était étalée une carte grossière de l'anse avec sa
forteresse indiquée au crayon rouge, deux plans
d'opérations furent retenus : le plan J, celui de
Jouve, et le plan M, celui de Mathieu, aucun de
deux jeunes généraux ne voulant accepter
l'idée de l'autre. La discussion fut vive à certains moments ; ils se chamaillèrent et s'échan-
gèrent des coups de poing. Angélie qui les entendait de sa cuisine dut à plusieurs reprises
venir séparer les combattants.

Ils arrivèrent à un accord, toutefois, sur
l'équipement nécessaire au succès de l'entreprise. Il fallait un canoë : c'était essentiel ; un
canoë léger, long et étroit, qui glisserait sur
l'onde silencieuse comme une couleuvre sur le
gazon. Le canoë du docteur Burgaud pouvait
faire l'affaire, mais Jouve suggéra de le teindre
en vert foncé, la couleur rouge étant trop
voyante. Mathieu, de son côté, parla de décrocher le fusil de son père au-dessus du foyer.
Bien que l'idée fût séduisante, elle comportait
quelques difficultés. Comment manier une
arme aussi redoutable ? Où trouver des balles ?
La disparition du fusil, ne fût-ce qu'une journée, ne pourrait passer inaperçue ni surtout
échapper à la vigilance d'Angélie. À regret, ils
abandonnèrent ce projet audacieux, en se disant que, de toute façon, ils n'en avaient pas
besoin pour mener à terme l'un ou l'autre des

plans d'opérations, d'autant plus qu'il ne fallait pas charger inutilement leur embarcation. Aussi se rabattirent-ils sur un armement plus flexible, c'est-à-dire une hache et deux couteaux de chasse. En outre, Mathieu fournirait une boîte d'allumettes, tandis que Jouve apporterait la masse de carrier que son père utilisait pour les gros travaux de terrassement autour du chalet. Un élément important de leur stratégie globale emporta sans discussion l'adhésion des deux généraux : la manœuvre devait avoir lieu la nuit, une nuit sans lune, noire, où l'audace le disputerait à la feinte.

Restait l'opération proprement dite. Le plan J, que son auteur expliqua avec force détails, prévoyait l'abattage à la cognée d'un des pieux d'angle soutenant la place. L'effet ne serait pas immédiat — ils auraient tout le temps de reculer de quelques brasses — mais lorsque l'effondrement de la plate-forme se produirait, il entraînerait une panique indescriptible chez les assiégés qui seraient alors forcés de rendre les armes. Mathieu objecta qu'une telle manœuvre serait par trop bruyante et que l'alarme serait donnée avant même qu'un deuxième coup de hache n'ait touché le premier pilier. Pour obvier à cette éventualité, Jouve se fit fort de pouvoir dégager sans bruit, avec la masse, une ou deux poutres maîtresses. Même opposition de Mathieu dont le tempérament emporté et brouillon prédisposait à des actions rapides. Son plan à lui consistait à mettre le feu à la plate-forme avec des quenouilles trempées dans du mazout. Quand la fin des vacances arriva, les deux stratèges palabraient toujours, incapables de reconcilier leurs différences. En face, le chalet MacLeod ballottait dans l'eau troublée par un dur vent de septembre.

Jouve ne put retenir un sourire en revivant ces scènes excitantes. Il fixa son regard sur l'habitation lacustre comme s'il cherchait à confirmer dans son esprit la découverte qu'il venait de faire. Non, ce n'était pas une forteresse des premiers temps de la colonie ; ce n'était pas non plus une citadelle inexpugnable. Dans l'anse inondée de lumière où la végétation s'irisait comme des joyaux, la villa des MacLeod reprenait une dimension plus à l'échelle des lieux et semblait une simple tache blanche aux lignes imprécises, autour de laquelle s'épandaient le vert strié d'ombres des sapins et la nappe brunâtre de l'eau. Mais le chalet n'en était pas pour autant dépouillé de sa séduction ; si celle-ci devenait plus fine, elle restait dangereuse, elle acquérait même une force nouvelle parce que son objet, désormais sorti de la légende, était de ce fait plus à portée de la main. Jouve, bien sûr, ne songeait plus à conquérir la place par les armes, mais quelle joie il aurait à percer son secret et à la visiter de fond en comble ! Que ne ferait-il pour se promener sur la galerie surplombant toute la baie et lancer un défi aux riverains de l'autre côté ?

Les feuilles des pommiers sur la terrasse s'agitèrent. Leur murmure métallique annonça la brise qui bientôt fondit sur le lac dont elle transforma la surface en un tapis de mousse opaque et grouillante. L'horizon renversé qui, un moment encore, découpait son pourtour sur l'eau, sombra, balayé par les vagues. Dans l'axe immédiat de la lumière solaire, le bleu pâle du ciel virait à l'incandescence. Le feu consumait les crêtes des arbres et les arêtes des flots. Sur un angle du toit, près de la lucarne, deux merles donnaient une aubade à laquelle répondait le gazouillis des moineaux, perchés en rang d'oignons, sur les bras de la girouette coiffant la cabane grillagée à droite. Des perches au dos rayé de noir sillonnaient les eaux basses en happant au passage des libellules; plus au large, des brochets, toutes mâchoires ouvertes, bondissaient dans l'air comme des bouchons de liège soudainement libérés.

Les rayons du soleil qui labouraient son visage devinrent si ardents que Jouve fut pris d'un étourdissement : il ferma les yeux, passa la main sur son front, puis décida brusquement de retourner se coucher à l'instant où, dans le lointain, le clocher de la petite église de Val-des-Ormes Station sonnait le premier coup de six heures.

6

« Que peut-il être arrivé à Julienne ? se
demanda Mme Marans pour la nième fois. Elle
ne m'a pas donné de ses nouvelles depuis une
semaine. Je suis inquiète. Et Gaby, quel paresseux ! C'est tout juste s'il m'écrit une fois par
mois. Et je n'exagère pas ! Pour le moment, je
ne dois pas être injuste. Il faut tout de même
lui laisser le temps de s'organiser. Il vient à
peine d'arriver en Angleterre. Le télégramme
qu'il nous a envoyé, il y a deux semaines,
n'était pas très explicite. Que va-t-il lui arriver
maintenant ? Les belles Anglaises au teint rose,
satiné comme une pivoine de juin, auraient
intérêt à se surveiller : il fera des ravages. Elles
l'éloigneront peut-être de sa Mexicaine. . . Quel
contraste entre Gaby et Gédéon ! Ce n'est pas
seize mois qui les séparent mais tout un monde.
C'est à croire qu'ils ne sont pas du même sang.
Dire que Gédéon s'est réjoui quand la France
est tombée. Il disait que c'était la meilleure
chose qui pouvait lui arriver. Qu'elle était
pourrie, que le maréchal Pétain saurait bien la

remettre sur la bonne voie avec l'aide de l'Allemagne. J'ai l'impression qu'il commence à déchanter. Antoine prétend que les armées allemandes sont au creux de la vague et que le temps joue contre elles. Même que la guerre pourrait bien se terminer plus vite que nous le croyons. Puisse-t-il avoir raison! Julienne et Gaby reviendraient. Julienne pourrait se marier. C'est Philippe qui serait content. Elle lui fera une bonne épouse. Je n'ai aucune crainte là-dessus. . . »

« Martine? Martine, n'oublie pas d'étendre les couvertures sur la corde à linge », cria Mme Marans alors que Martine paraissait sur le seuil de la porte. Elle disparut aussitôt dans un coup de vent.

« J'ai mal dormi à cause de cela. Elles sentent le moisi. Mon Dieu! que ferait Gaby si la guerre prenait fin brusquement? Ça m'étonnerait qu'il veuille rester aviateur. En temps de paix, ça lui ferait pourtant une belle situation. Oh! qu'il me fait donc penser à Léon! Toujours la bougeotte. Léon est incapable de rester en place. Je plains cette pauvre Rita. La dernière fois qu'elle m'a donné de ses nouvelles, elle était rendue dans l'Iowa avec son mari. Il la traîne à travers les États depuis vingt ans. Il n'aurait pas dû se marier. Maman le voulait tant. Elle ne pouvait comprendre qu'un homme puisse rester célibataire. . . Ce n'est pas moi qui pousserais Gaby à prendre femme. Je prie le ciel qu'il me revienne avec tous ses membres. Pourquoi était-il si pressé de s'engager? Il aurait pu attendre. Et cette idée de vouloir à tout prix rejoindre Julienne outre-mer. Personne ne l'y forçait. C'est dangereux ce qu'il fait. Il ne me dit pas tout, mais je lis entre les lignes. Dans sa dernière lettre de Terre-Neuve, il laisse entendre qu'ils ont coulé un sous-marin allemand au large des côtes. Il y avait une phrase de censurée. Julienne ne court pas un tel danger... Ah! ces fichus cheveux, ils ne restent pas en place. Je vais demander à Louise de me coiffer. Où est-elle passée? Je l'ai vue, il y a un instant... J'espère qu'Antoine n'oubliera pas d'apporter le courrier. Plus j'y pense, plus je me convaincs que Julienne n'affronte pas les mêmes risques que Gaby. Ce n'est que juste, elle est une femme. Pourvu que j'aie une lettre d'elle ce soir. Elle m'a semblé déprimée dans sa dernière lettre...»

Elle releva sa jambe gauche, toute blanche et lisse, et la frotta avec sa main droite, tandis qu'avec l'autre elle ramena sous elle le pan de sa robe de coton jaune mercerisé. La matinée était splendide. Des nuages montaient à l'horizon vers l'ouest mais leur texture floconneuse et leur teinte bleuâtre indiquaient qu'ils se disperseraient avant d'arriver au-dessus de la baie. Un papillon aux ailes moutarde, liserées de noir, tournoya au-dessus de la pelouse près de la chaise longue et se posa sur une fleur de pissenlit.

«Tiens! te voilà, dit Mme Marans, j'ai justement besoin de toi.

— Oui, maman, dit Louise, en s'approchant de sa mère.

— Va chercher ma brosse et mon peigne. Je veux que tu me fasses les cheveux.

— Je m'en vais me baigner avec Monique, protesta-t-elle. Elle vient me prendre à l'instant.

— Les Bleau sont déjà ici ! Ils n'arrivent d'habitude qu'au début de juillet. Tu viens de manger. Tu ne peux pas te baigner maintenant. Monique attendra bien une dizaine de minutes. Sois gentille, tu es la seule qui me coiffes bien. Ève est toujours pressée. Elle me tire les cheveux et me fait mal », précisa Mme Marans en clignant de l'œil.

Un éclair de contentement coupa le visage rond et plein de Louise. Sa mère savait comment la prendre, comment contourner son caractère buté et vindicatif. « Dépêche-toi avant qu'il ne fasse trop chaud », ajouta-t-elle, en lui donnant une tape amicale sur la cuisse gauche. Louise obliqua nonchalamment vers la maison, tandis que sa mère se renfonça dans la chaise longue, après avoir rabattu l'espèce de pare-soleil à franges fixé au dossier.

Chaque fois qu'arrivait l'été et que la famille emménageait à la campagne, elle aimait s'allonger en plein air au milieu de la matinée, au moment où la chaleur n'était pas encore trop intense. Les bas enlevés afin d'exposer ses jambes aux rayons du soleil, coiffée d'un chapeau de toile à larges bords, elle s'étendait sur la chaise qui lui était réservée, que Martine avait dépliée au milieu de la terrasse, face au soleil. Si le ciel se couvrait et qu'un vent soudain d'élevât, elle réclamait une couverture qu'elle enroulait autour de ses jambes. Il aurait fallu une catastrophe pour la faire bouger de là : c'était son chalet, c'était son domaine, c'était surtout son univers à elle. Elle se sentait bien dans sa peau durant ces moments de langueur où tout ce qui l'entourait, la villa bourgeoise à côté, les pommiers en face, la rangée d'arbres à l'extrémité de la terrasse et, en bas, le lac légèrement moutonné sur lequel voguait la lumière du soleil, semblait n'exister que pour combler le vide creusé par ses désirs inassouvis en leur substituant la possession, voire la vision des choses matérielles, auxquelles ils finissent toujours par se confondre.

Fallait-il en conclure qu'elle était indolente de nature, qu'elle cultivait le désœuvrement? Non pas, elle déployait au contraire une activité incessante et se déplaçait dans la maison comme un général en tournée sur le front, vérifiant tout dans les moindres détails et n'hésitant pas à mettre la main à la pâte. Tout se passait comme si elle voulait expédier les corvées quotidiennes afin de pouvoir consacrer plus de temps à elle-même. Ses nombreuses maternités l'avaient épuisée ; ses varices aux jambes et ses douleurs rhumatismales ne lui permettaient pas de rester longtemps debout. Elle abusait de cette situation pour multiplier les ordres et manifester à haute voix, à la cantonade, ses moindres désirs. Son mari feignait, dans ces moments, de ne pas l'entendre et ses enfants, envers lesquels, sans doute pour contrebalancer la sévérité paternelle, elle faisait preuve de partialité et de tolérance et qui, pas bêtes, le savaient, plaidaient l'ignorance ou la distraction. Restait la pauvre Martine sur qui tout retombait, sans laquelle, surtout, à cause du respect que lui portaient les plus jeunes, la belle autorité de Mme Marans n'aurait été qu'un vain mot.

Louise revint avec la brosse et le peigne et, après que sa mère se fut assise de côté sur la chaise longue, elle demanda :

73

« Maman, pourquoi ne voulez-vous pas que je travaille à la quincaillerie de papa ? Toutes mes amies travaillent, elles. C'est long de passer tout l'été à la campagne. Ève travaille bien au bureau de poste, elle !

— Ce n'est pas la même chose. Ta sœur a terminé ses études. Elle ne peut pas rester à rien faire... Ouf ! tu me fais mal...

— Oh ! excusez-moi, maman.

— ... Tu as bien le temps de travailler. Tu es encore jeune. De plus, je ne veux pas te voir dans le magasin de ton père. Une jeune fille bien élevée n'est pas à sa place dans un endroit fréquenté surtout par les hommes.

— Je ne suis pas obligée de vendre au comptoir, rétorqua Louise. Je pourrais aider dans l'arrière-boutique. Je me ferais un peu d'argent de poche... »

Ses doigts glissèrent le long du peigne pour le nettoyer et des démêlures grises voltigèrent, puis se déposèrent sur l'herbe.

« Qu'as-tu besoin d'argent de poche ! Tu as tout le nécessaire. Augustin travaille déjà pour ton père. Les affaires, au ralenti pendant des années, ne font que reprendre vraiment. Attends jusqu'en août, au moment où Augustin ira faire son service militaire. Je te permettrai alors d'aller aider ton père, qui te trouvera bien quelques petites choses à faire, pas trop à la vue des clients. D'ici là, repose-toi. Jouis du soleil. Veux-tu toujours devenir une infirmière ?

— Oh ! oui. Je veux faire comme Julienne.

— Eh bien, il te faut une bonne santé. Je te trouve encore bien pâlotte. »

De renfrogné qu'il était quelques instants auparavant, le visage de Louise sourit de nouveau, mais elle garda une certaine raideur dans les gestes. Le chignon de sa mère prenait forme et, comme elle s'apprêtait à admirer son œuvre, Monique arrivait derrière par le sentier, vêtue d'un maillot de deux pièces, une serviette de bain enroulée autour du cou. Louise abandonna peigne et brosse et courut vers la villa en criant à Monique de l'attendre. Celle-ci s'approcha lentement de Mme Marans qui, en la voyant, fronça les sourcils. Elle n'aimait pas la tenue légère de la jeune fille. Monique s'en aperçut car elle laissa tomber la serviette sur ses épaules.

C'était une blonde ravissante, un peu aguichante, femme déjà avec son corps aux lignes sinueuses, ses jambes au galbe prononcé. Ses yeux chatoyants cillaient en signe de confusion lorsqu'un regard masculin la caressait. Encore dans les premières années de son adolescence, elle avait, ces deux derniers étés, fait tourner la tête à tout ce que les rives du lac comptaient de garçons. Les plus entreprenants lui avaient fait une cour assidue, sans succès d'ailleurs, puisque, malgré les apparences, elle maintenait ses distances. Pour expliquer leur défaite ou cacher leur déception, ils chuchotaient qu'elle avait peut-être un amoureux à Montréal où elle demeurait. Quoi qu'il en soit, elle ne le laissait pas paraître. Pouvait-on, du reste, lui en vouloir ! Elle vous glissait entre les doigts comme une anguille, avec son sourire désarmant qui épanouissait son visage arrondi au teint nacré. Débordante d'entrain, respirant la joie de vivre, elle exultait pour un rien, communiquait son enthousiasme avec une telle vivacité que les jeunes filles de son âge, jalouses de sa beauté naissante et promptes à la piquer, se laissaient graduellement gagner et devenaient ses meilleures amies. En usant de ses charmes à l'occasion, c'était moins l'émoi qu'elle semait qui la préoccupait, et qu'elle ignorait de toute façon, que les petits avantages, les attentions délicates qu'elle en tirait et qu'elle considérait comme la chose la plus naturelle du monde pour l'adolescente qu'elle était. Au début d'un nouvel été, tout à fait à l'aise et sûre d'elle-même, il semblait certain, et Mme Marans s'en fit la réflexion en la regardant s'approcher, que son règne durerait encore, à moins qu'une beauté encore inconnue ne vînt lui disputer le terrain.

Monique connaissait peu la mère de Louise. Néanmoins, elle lui plaqua un gros bec sur la joue, spontanément, en manière de salut. Mme Marans s'informa de ses parents avec lesquels elle n'était pas liée, mais qu'elle avait entrevus et salués un soir d'été comme ils se promenaient sur le chemin de terre longeant les propriétés riveraines. Louise revint et les deux amies, après que Mme Marans les eut exhortées à la prudence, se dirigèrent d'un pas allègre vers la plage des Burgaud.

Elle les regarda s'éloigner. « C'est vrai que Louise n'est plus un bébé, se dit-elle. Elle s'est transformée depuis quelque mois : sa taille s'est refaite et ses hanches, jadis si fortes, s'amincissent. Certes, elle n'affiche encore ni la beauté ni l'élégance de Monique, mais sa puberté est venue tardivement et sa croissance n'est pas terminée. » Il y avait du reste beaucoup de joliesse dans ses manières ; elle savait se donner un petit air d'innocence qui, en même temps qu'il masquait son entêtement naturel, mettait en relief ses yeux verts, très profonds, et son nez fin, hérité de sa mère.

7

Méticuleuse, Anne enleva ses chaussures
de daim blanc, à semelles de crêpe, joliment
ornées à l'empeigne de cuir marron lustré, et,
en les roulant d'abord le long du mollet et les
pinçant ensuite à leur extrémité, elle retira ses
chaussettes de grosse laine blanche. Elle les étira
afin de leur redonner leur forme, les plia soi-
gneusement et, après avoir placé une chaussette
dans chaque soulier, déposa le tout dans un
endroit sec près d'un arbre.

Retroussant sa jupe de lainage sombre qua-
drillé de rouge, tant pour protéger celle-ci que
pour mieux voir devant elle, elle sauta en bas
du court talus et avança lentement sur la bande
de terre ocreuse, très friable, tapissée ici et là de
houppes d'herbes aquatiques séchées. Ce fut sur
ces renflements plus solides qu'elle essaya de
poser le pied.

Sous sa couche de surface, lézardée et écail-
leuse comme l'écorce d'un vieux bouleau, le sol
était vaseux et peu sûr. Sur une distance de plu-

sieurs pieds, la délicate manœuvre réussit à Anne mais l'inévitable arriva ou presque : son pied glissa, elle faillit trébucher et, n'eût été un tronc d'arbre, allongé sur le sol, sur lequel elle posa vivement l'autre pied, un malheur fût arrivé. La voie était maintenant claire. En utilisant sa passerelle improvisée dont l'extrémité gisait dans l'eau, elle arriva à proximité de son refuge familier : à une vingtaine de pieds de la rive, une grosse roche plate formait un îlot à l'ombre d'un orme rouge. Bien que l'eau fût encore froide, Anne y entra résolument et, après deux ou trois enjambées, put sauter sur sa plate-forme. Le passage, trop rapide, de l'eau glacée à la surface brûlante de la pierre la fit sautiller avant qu'elle ne pensât à s'asseoir sur le bord, les jambes pendantes au-dessus de l'onde. Des vaguelettes, poussées par la brise, s'éteignaient doucement contre les parois verdâtres du rocher. L'orme dont les branches entremêlées ombraient capricieusement la surface de l'eau, découpait dans le fond son tronc tordu par l'âge et le vent. Au-dessus, les feuilles mouvantes filtraient la vive lumière du soleil qui rutilait sur les fragments de quartz incrustés dans le rocher.

Anne s'était levée tard. La nuit avait été longue et agitée. Arrivée la veille en fin de soirée de Saint-Hippolyte après un voyage en train harassant et monotone, le contraste entre la chambre humide et noire du chalet et le dortoir douillet du couvent où brillait toute la nuit une lumière blafarde, l'avait quelque peu dépaysée. Le sommeil avait donc tardé à venir. Si, au moins, Muriel avait été là ! Le temps aurait vite passé. Que de confidences elle voulait lui faire ! Que de questions elle aurait aimé lui poser !

80

À vrai dire, n'était-ce pas à cause de toutes ces choses-là qu'elle s'était roulée dans son lit en attendant une délivrance qui ne vint pas! Ces choses qu'on ne peut que chuchoter comme au confessionnal, qui pèsent si lourd à cet âge qu'elles courbent le dos des adolescentes et les entraînent, pour dissimuler leur embarras, à pratiquer l'onomatopée, à adopter les poses les plus gauches et à marcher la tête baissée. Ces choses surtout qui, à cause de leur caractère intime, ne se diffusent pas à tous les vents.

Pendant qu'elle s'efforçait, en manière de réaction aux larmes qu'elle tentait de refouler, de replacer ses couvertures une nouvelle fois, elle fut tentée d'aller rejoindre sa mère dans la chambre au bout du couloir. «À quoi bon! s'était-elle dit. Maman dort sans doute. Du reste, elle ne m'écoutera pas. Elle attribuera mon agitation à la fatigue du voyage et me dira d'aller me recoucher: "Demain, tu auras oublié toutes ces vilaines pensées." Toujours la même histoire!»

Muriel l'aurait comprise. Du moins Anne le croyait-elle. Depuis des semaines, elle vivait dans l'attente de ce moment. Elle fut amèrement déçue. C'est à peine si Muriel la salua à son arrivée à la maison. Et elle fit savoir qu'elle n'avait nullement l'intention d'aller coucher à la campagne. Son fiancé l'attendait au salon et elle s'éclipsa rapidement. Anne fit la brave: elle se raidit et affecta l'indifférence la plus complète. À sa mère qui laissa entendre qu'il serait plus sage à cause de l'heure tardive de remettre au lendemain le départ pour la villa, elle répondit d'un ton suppliant que son plus grand désir, après des mois de vie commune au pensionnat, était de respirer l'air pur de la campagne le plus tôt possible. Peu encline à raisonner avec ses enfants et à s'opposer à leurs volontés, Mme Burgaud céda au caprice de sa fille.

À l'arrivée au lac, Anne paressa à l'extérieur, un peu pour refouler sa peine, un peu, histoire de satisfaire une curiosité bien légitime, pour revoir quelques lieux familiers. Sous un ciel sans nuage, la lune, presque pleine, miroitait dans la baie ; sa lumière réfléchie par l'eau isolait les grands ormes près de la rive, leur prêtant des proportions démesurées. Dans l'éclaircie dégagée par le large sentier menant au quai, le lac, telle une immense scène vide et muette, semblait couver un drame. Un corbeau crailla près de la remise. Anne, immobilisée par le spectacle qui remplissait ses yeux, frissonna et fut prise de frayeur. Que n'était-elle restée au couvent ! La vie n'y était-elle pas, tout compte fait, plaisante et confortable ? Du moment que l'on se plie à la discipline et que l'on accepte de bonne grâce l'enseignement des religieuses, tout devient si simple. On n'a pas à s'interroger ni à affronter les mystères de l'existence. Rien n'est laissé à l'imprévu et au hasard. Dans les périodes de doute, aux heures de peine, il y a toujours quelqu'un sur qui s'appuyer : une religieuse en qui l'on a confiance ou une camarade qui partage les mêmes angoisses.

Assaillie par des nuées de moustiques, apeurée par un crapaud qui lui frôla la jambe, accablée malgré son calme apparent, Anne coupa court à sa promenade sentimentale et s'enfuit dans la villa. Elle refusa la collation que lui offrit Angélie pour se réfugier dans sa chambre, le cœur encore gros à la suite de la dérobade de Muriel.

À retrouver intact son plateau de pierre, à l'abri des regards soupçonneux d'Angélie, dans un lieu surtout qui, à cause de la banalité de sa configuration et de son absence de mystère, échappait à la curiosité de Mathieu, à admirer de nouveau par un matin ensoleillé de juin le patinage leste et nerveux des libellules sur la surface de l'eau, à reconnaître à ses notes tantôt heurtées, tantôt glissantes, le chant des fauvettes, elle eut l'impression de renouer avec sa vraie vie et de récupérer, après une interruption de plusieurs mois, les images de son monde particulier. L'effet même de cette découverte et la sensation de bien-être qu'elle ressentit furent si vifs qu'aux palpitations qui l'agitaient depuis son réveil et aux tremblements qui secouaient ses nerfs, se substituèrent ce léger frissonnement qui accompagne une joie pure et cette sorte de baume, tout intérieur, qui en est l'attribut.

Mais, en réalité, ce qui acheva la métamorphose, ce fut le contact physique d'Anne avec l'eau. Dans un geste impulsif, inattendu, si peu coutumier chez elle à cause de sa nature réservée, elle se laissa descendre le long du rocher et sauta tout habillée dans l'eau glacée. Quoique la jonction fût brutale, le choc initial violent, elle s'efforça de rester immergée jusqu'au cou et accomplit quelques mouvements de brasse afin de s'habituer à la température ambiante. Quand il lui parut qu'elle pouvait ressortir sans que des frissons ne la parcourussent, elle regagna son rocher. Des filets d'eau dégoulinèrent sur ses bras et ses jambes. Elle dégrafa sa jupe, qui s'écrasa à ses pieds comme un flan renversé. L'idée lui vint d'enlever son chemisier mais elle se borna à le déboutonner et à essorer l'ourlet du bas où l'eau s'accumulait.

L'air sentait bon et chaud. Anne en aspira de grandes bouffées. Un vent paresseux poussait vers la baie des odeurs de foin carbonisé. Dans les jours précédents, le père Paquin avait fauché l'herbe autour du chalet et de ses dépendances et nettoyé le terrain des débris accumulés depuis l'automne : feuilles mortes, graminées séchées, branches cassées. Les râtelures déposées en tas ici et là et exposées au soleil pendant une journée avaient fait la veille un joli feu au grand plaisir de Mathieu. Et maintenant, des exhalaisons de brûlé auxquelles se mélangeait une fine poussière de cendre grise, flottaient dans l'air autour des cratères noirs laissés sur le sol ; la brise, en les dispersant, y ajoutait les aigrettes des pissenlits et tous les arômes de la saison nouvelle. Ce mélange singulier, où, selon la fantaisie du vent, dominait une senteur plutôt qu'une autre, où se suivaient indifféremment le souffle aromatique du thym sauvage, la moiteur envahissante des terres emblavées, là-bas, derrière la baie, la fragance veloutée des roses, le fumet agaçant des marmottes et la senteur âcre des graminées roussies, était particulier en ceci qu'il symbolisait le début de l'été et ne pouvait se confondre avec les parfums forts, les bouffées de mûri, coupées de remugle, de la période de la moisson.

Anne ne s'y trompa pas ; debout, sur la pierre brûlante, elle invita l'été à la subjuguer totalement : ses narines, vibrantes et sensibles, s'ouvraient à toutes les sensations de l'odorat

84

tandis que ses oreilles contre lesquelles collaient des mèches de cheveux percevaient tous les bruits familiers. En dépit des gouttes d'eau qui roulaient sur leur prunelle, ses yeux s'allumaient, s'émerveillaient de nouveau de la sérénité grandiose et de la beauté féerique du spectacle estival que la nature leur proposait. Mais elle eut peur de prendre froid : ses membres commençaient à trembler. Légèrement inclinée et concave vers le centre, la surface du rocher du côté du lac formait une couche naturelle, très invitante ; elle s'y allongea afin d'échapper à l'emprise du vent et de capter au maximum les rayons du soleil.

Cependant, comme elle étirait ses bras en croix, son chemisier s'entrouvrit, ce qui eut pour effet de libérer sa poitrine naissante dont l'extrême blancheur fit paraître son cou et son visage plus foncés qu'ils ne l'étaient en réalité. L'audace de sa pose sembla d'abord lui échapper ; elle songeait encore à sa baignade impromptue, au courage qu'elle s'attribuait après coup de s'y être adonnée. Au fond, elle était si heureuse de s'être ri des exigences instinctives de sa propre nature que la joie qu'elle en éprouvait, à laquelle s'assimilait inconsciemment dans son esprit le plaisir physique et ravigotant de l'eau contre son épiderme, suffit à endormir la petite appréhension qui la saisit à l'idée qu'Angélie pourrait la surprendre. Mais il n'y avait pas là de quoi fouetter un chat. Angélie fermerait les yeux. Elle se fit la réflexion, au surplus, que la matinée n'était pas encore très avancée, qu'elle pouvait donc disposer d'une bonne grosse heure avant que le lac ne fût envahi par les baigneurs et les canotiers. Quant aux pêcheurs de l'aube, ils avaient regagné leur chalet où, ragaillardis, ils dévoraient à belles dents leurs œufs au bacon et sirotaient leur café. Anne avait d'ailleurs remarqué en se levant que son père était déjà rentré. La baie lui appartenait donc tout entière, et il était peu probable que quelqu'un viendrait la déranger ou l'épier. Et si toutes ces raisons n'étaient pas assez convaincantes, elle pouvait toujours invoquer, pour expliquer son abandon, le désir de provoquer, de lancer un défi à sa famille, aux religieuses sous la dépendance desquelles elle était encore vingt-quatre heures auparavant, désir d'autant plus affriolant et tentant que, seule, elle pouvait le satisfaire sans danger, ce dont elle aurait été incapable en public.

Mathieu ne se serait pas embarrassé de tant de cérémonies, mais à la différence de son frère qui avait toutes les audaces, y compris les plus choquantes, et qui ne respectait rien, même pas leur mère dont il abusait et se moquait, et en réaction contre son père qui la peinait et la jetait dans le plus grand désarroi par sa conduite animale et son langage rude d'ancien officier lorsqu'il était ivre, Anne sentait le besoin de se tenir droite en même temps qu'elle voulait, par des manières effacées et par des marques ostensibles de déférence et de soumission paternelles, affirmer sa désapprobation puissante et toute silencieuse. Ainsi donc quand Angélie louait son esprit d'obéissance, sa droiture de caractère, que Mme Burgaud la citait en exemple à Louis et à Isabelle, elle se méprenaient grandement toutes deux sur la vraie personnalité d'Anne en ce qu'elles n'en percevaient ni le ressort secret, ni le côté impulsif. Là était la source du malentendu entre la mère et la fille.

Cette équivoque expliquait pourquoi Anne hésitait à dévoiler son cœur.

Mais l'image gauche, outrée même, qu'elle essayait bravement de projeter devant les siens, ou plutôt le message dont cette image était porteuse, ne traduisait-il pas au fond une déception, et assez paradoxalement une assertion, nées l'une comme l'autre de l'absence d'un modèle familial sur lequel elle aurait aimé s'appuyer, qui l'aurait guidée d'une main ferme dans les années difficiles de son adolescence ? Ce modèle, ce code inhérent à chaque famille, cette *magna charta* particulière qui reflète son génie propre, son âme collective, et établit ses règles de vie, c'était Anne qui la construisait en pièces détachées sans l'apport de matériaux de base qu'elle ne connaissait pas à cause de son âge et de son inexpérience des grands drames de toute existence. La tâche, certains jours, dépassait ses forces. Sa mère, qu'elle imitait d'une certaine façon, ne lui était au bout du compte d'aucun secours, même si plusieurs traits de celle-ci, et c'était normal, perçaient dans le jeune caractère d'Anne : douceur dans les manières, réserve dans l'action, souci de ne pas blesser. Anne n'acceptait pas ni ne s'expliquait l'attitude résignée de sa mère face aux égarements de son père ; surtout, mais ceci était confus chez elle parce qu'elle n'en discernait pas encore les vraies raisons, il lui apparaissait que son père, entraîné dans des excès de conduite dont elle amplifiait la portée parce qu'elle n'avait pas de mesures de comparaison, était en train de se détruire. Sur ce point, la passivité de sa mère la chagrinait. « Pourquoi maman ne résiste-t-elle pas ? disait-elle à Muriel qui l'écoutait d'une oreille distraite. Pourquoi ne se révolte-t-elle pas ? Muriel, je t'en prie, fais quelque chose. »

Ce n'est pas qu'Anne détestait son père ; au contraire, lorsqu'il était sobre, elle l'adorait, elle l'admirait, mais la chaleur qu'il communiquait dans ses moments, de plus en plus espacés malheureusement, se volatilisait comme l'éther, ce qui en soulignait la fugacité et à vrai dire la futilité. À quoi servait-il en effet d'ouvrir toutes grandes les écluses de l'espérance si, se refermant tout aussitôt, elles laissaient à la place un grand vide au cœur qui n'était jamais comblé !

Anne ne bougea plus. Le soleil dorait son corps d'argile blanche, aux lignes pures et graciles, allongé, dans l'attitude d'un gisant, sur sa couche de pierre grise aux reflets de vieil argent ; sous ses paupières closes que la lumière rendait diaphanes, ses yeux se noyaient dans le feu, tandis que des moires d'ébène coulaient sur ses nattes mouillées. Les obsessions de la nuit, si lourdes encore à son réveil, n'avaient plus que la légèreté et le détachement du nuage solitaire dérivant vers l'horizon, derrière elle, tel un voile emporté par le vent. Le temps s'empara d'elle, totalement, imposant sa formidable matérialité, sa sensualité jalouse, cependant que le flux lumineux, après avoir caressé ses membres, s'infiltrait maintenant en elle et, pareil à un soporifique, remontait jusqu'à ses sens afin de les engourdir. . .

8

Un vent chaud, venant du lac, auquel s'alliaient des restants de fraîcheur matinale, ondula le feuillage des pommiers. Plus loin, autour de la cabane de lattes entrecroisées, au toit pyramidal, qui servait de pavillon de plage et de maisonnette de poupées, les cenelles des aubépines se balançaient sur leurs tiges trop lourdement chargées. Les évolutions de deux écureuils retinrent un instant l'attention de Mme Marans : sans se lasser, ils sautaient d'une branche à l'autre de l'érable noir et solitaire dont les feuilles tombantes flattaient le mur latéral de la villa, à sa droite ; de temps à autre, l'un des deux rebroussait chemin abruptement, redescendait vers le sol, et se dressait sur ses pattes arrière en retroussant sa queue en S comme pour garder son équilibre, puis, après avoir jeté un regard circulaire tout en mâchouillant un invisible pépin, remontait le long du tronc.

« Il faut que je fasse penser à Antoine de couper les branches de l'érable, se dit-elle pendant qu'elle rajustait son chapeau de paille. Elles empêchent la lumière d'entrer dans la chambre des filles. Je lui avais pourtant dit de ne pas le planter si près de la maison. Ce qu'il peut être têtu parfois! Le mal est fait maintenant... Il pourrait peut-être couper la grosse branche, en bas, elle bloque le passage. Les enfants s'amusent à arracher les feuilles. Mon Dieu! que les arbres ont profité depuis quelques années. Les pommiers viennent bien... Il y en a un pourtant qui est un peu chétif. Je ne crois pas qu'on pourra le sauver mais les autres croissent normalement. Les gens nous disaient qu'ils ne pousseraient pas, que la terre n'était pas assez riche, que l'été dans les Laurentides ne durait pas assez longtemps. Antoine ne les a pas crus et a préféré se fier à son instinct de paysan. On voit qu'il connaît ce coin de pays... Que le chalet est beau d'ici! C'est vraiment une réussite. Antoine et les garçons ont dû travailler d'arrache-pied pendant des mois, durant des soirées entières. Je ne me suis pas ménagée moi non plus. Je pensais que ça ne finirait jamais. Je ne serais pas prête à recommencer. Le résultat valait l'effort. Ce n'est pas aussi grand que notre résidence de Val-des-Ormes mais ça suffit pour la famille. Je m'aperçois que je marche moins ici... Le style du chalet ne m'enthousiasmait pas beaucoup au début. Le comble en mansarde me rappelait trop le toit d'une grange. Sur papier, ça m'avait l'air très compliqué, mais maintenant que la construction est terminée, c'est différent, c'est même assez imposant. C'est le plus grand chalet de la baie. Antoine a joliment réussi l'aménagement du terrain. Ça met le chalet en évidence. Il faudrait bien se décider à peindre le bardeau de la toiture. Il est devenu tout gris. Ah! si Gédéon et Augustin s'y mettaient, ils feraient le travail en quelques jours. La lucarne produit un joli effet. Le docteur Burgaud affirme que c'est ce qu'il trouve de plus beau.

« Je me demande où est passée Sylvaine! Et Adeline, où est-elle celle-là? Je leur avais pourtant demandé de me dire où elles allaient. Ça doit être beau quand je ne suis pas là! Je vais dire à Martine de bien les surveiller pendant l'été. Il faudrait que je sois partout. Je ne veux pas qu'elles aillent se baigner seules. Ah! que je suis distraite! Elles sont allées aux fraises. Je les ai entendues en parler à Martine. . . Qu'elles étaient excitées hier en arrivant au chalet! On aurait cru qu'elles ne l'avaient jamais vu. Et Sylvaine qui a retrouvé sa poupée noire. Ce qu'elle a pu nous ennuyer, l'hiver dernier, avec cette fichue poupée! Elle voulait même écrire à sa tante Agnès pour lui demander d'en acheter une autre. . . Quel baume que le soleil! Il active la circulation dans mes jambes et je sens moins mes rhumatismes. Je ne soigne pas assez mes jambes. J'ai beau me dire que je devrais toujours porter mes bas à varices, je ne parviens pas à m'y résoudre. Ça m'enlaidit. Personne ne m'obligera à les mettre pour sortir. L'hiver, je ne dis pas, mais l'été, ça ne me va pas du tout, c'est trop voyant. Voilà que je deviens comme maman en vieillissant. Elle, au moins, elle avait l'avantage de porter la robe longue. Ses bas ne paraissaient pas. . . Ce qu'elle a pu nous rebattre les oreilles de ses varices! Pauvre papa! lui si digne à table, avec sa barbiche à l'impériale toujours bien taillée, sa chemise blanche au col empesé et son éternel nœud papillon bleu marine, parsemé de petits pois rouges, qu'il en a entendu parler des varices de maman! Je ne suis certainement pas comme cela. Je ne passe pas mon temps à me plaindre comme maman, moi. Léon pouffait de rire chaque fois que maman abordait la question de ses varices. . .

«Je m'en souviens comme si c'était hier. C'était toujours en s'asseyant à table qu'elle nous imposait son sujet de conversation favori. Le même rite se répétait tous les soirs. Elle arrivait de la cuisine, essoufflée, le visage en sueur, portant au bout de ses bras, droit devant elle, avec deux poignées en coton matelassé, la soupière fumante et odoriférante qu'elle déposait d'un air triomphant sur la table, devant papa. Puis, elle enlevait son tablier de toile grise qu'elle laissait tomber sur le dossier de sa chaise. Si, par malheur, elle oubliait de le faire, père toussetait et, avec ses deux mains, tirait les revers de son veston vers le bas sous prétexte de faire disparaître le gonflement du col à l'arrière. Maman comprenait et détachait rapidement son tablier. Dire qu'elle pensait que nous ne saisissions pas le signal si charmant de papa! Et c'était à ce moment précis, alors que notre cœur devait être forcément plein de reconnaissance à son égard pour l'excellent potage qu'elle venait d'apporter et que nous nous apprêtions à savourer, qu'elle nous gratifiait de ses plaintes habituelles sur ses varices, dont elle attribuait la cause, selon ses humeurs, à la température maussade à l'extérieur, à son âge, ou à notre ingratitude devant les efforts qu'elle ne cessait de faire pour nous élever chrétiennement. Quand elle avait vidé son sac, papa avait toujours le mot juste pour orienter la conversation vers un sujet plus gai, non sans

92

avoir auparavant indiqué, par des hochements de tête compréhensifs, son accord avec les paroles de maman...

«À propos, qu'est devenue la soupière de maman? C'était amusant de voir la guirlande de fleurs violettes ornant, en relief, le contour de la soupière et s'épanouissant sur le couvercle. Toute jeune, j'avais l'impression, lorsque papa soulevait le couvercle, que les fleurs allaient mourir et je le suppliais de refermer la soupière. Quel magnifique surtout ça ferait sur ma table! Maman disait que grand-mère aussi avait des varices. Antoine ne semble pas comprendre qu'elles peuvent causer des hémorragies et qu'on peut même en mourir... Papa, lui, savait faire preuve de bonté et de patience quand maman était épuisée. Que de tendresse dans son regard! Que de chaleur dans sa voix! Que de compréhension surtout dans son attitude à notre égard! Je rêvais, adolescente, d'épouser un homme comme lui, qui aurait sa haute taille et son profil sorti de l'atelier d'un statuaire romain, et qui montrerait la même politesse, le même respect à l'endroit de la femme, et cette magnanimité de caractère qui s'inscrivait dans chacun de ses gestes. Quelle différence avec Antoine! Et qu'il paraissait jeune aussi! Maman avait l'air d'une fleur fanée à côté de lui. J'espère que je ne suis pas dans le même cas. Non, je ne pense pas. Les hommes se retournent encore dans la rue pour me regarder. De toute façon, il y en a si peu ici qui soient dignes d'intérêt.»

Et Mme Marans, que les embrassements du soleil et la quiétude sourde de cette matinée plongeaient dans une langueur extrême, laissa glisser sa main sur son visage, lentement, très lentement, ses doigts traçant chaque pli, puis sur son cou, la main cette fois s'y arrêtant autant pour le masser que pour en éprouver la fermeté et le satiné. L'examen parut la rassurer car ses joues se plissèrent de contentement et sa rêverie, aussitôt revenue, la pénétrait tellement qu'elle fut insensible au bruit que causait Martine avec ses généreuses aspersions d'eau sur le parquet de la galerie qu'elle lessivait. Le ronronnement d'un moteur à proximité de la rive, et les éclats de voix et les rires bruyants de Jouve et de Mathieu, qui traversèrent la terrasse au pas de course, ne semblèrent pas non plus la déranger ni éveiller sa curiosité. C'est d'un geste tout machinal qu'elle chassa une mouche qui avait atterri sur son front, après avoir tourné au-dessus d'elle un long moment.

«Antoine ne me dit plus que je suis belle. Jadis, pendant les premières années de notre mariage, il ne cessait de me le répéter. Ah! la belle époque! J'ai l'impression qu'il ne m'aime plus. Je suis pourtant une bonne épouse, une mère digne et dévouée. Que veut-il de plus? Quand nous sommes seuls ensemble, il n'est pas très loquace... Il semble ma foi qu'il n'a rien à me dire. Je suis obligée de lui tirer les vers du nez. Voilà que même les enfants semblent maintenant lui taper sur les nerfs. Il ne les écoute que d'une oreille distraite. Je dois voir à tout et m'occuper seule de l'éducation des plus jeunes. Qui s'inquiéterait de leur avenir si je n'étais pas là? Ah! j'y pense, il faut que je ramène Sylvaine à la ville lundi matin. Je dois la conduire chez le dentiste. La pauvre chatte, elle ne sera pas contente... Antoine me néglige. Il ne m'entend pas quand je lui parle. Il ferme les

94

yeux et écoute ses interminables nouvelles à la radio. Après le dîner, il prétend qu'il a du travail à faire au magasin et je ne le revois pas de la soirée. C'est un prétexte. Il n'est jamais là quand j'ai besoin de lui parler. L'été, à la campagne, c'est la pêche. J'en suis au point où ce n'est plus à lui que je me confie mais à Julienne. Qu'est-ce qui a bien pu m'attirer vers lui ? Au vrai, c'est maman qui m'a jetée dans ses bras. Il avait fait grande impression sur papa quand il s'était amené un bon jour à son étude pour le consulter au sujet d'une affaire de terrain. Comme il se faisait tard, en cette fin d'après-midi de février, et qu'Antoine lui avait plu, il l'avait invité à dîner. Il m'avait laissée très indifférente à ce moment. Mais il revint, il me courtisa, mes parents l'adoptèrent et ce fut le mariage. Pourquoi lui plutôt qu'un autre ? Car j'ai eu d'autres amoureux ! Si maman m'avait permis de demeurer à Québec plus longtemps, je serais peut-être l'épouse de Henri. J'ai vu sa photo récemment dans *La Presse* lorsqu'il a été nommé juge à la Cour supérieure. Quelle belle promotion ! Il m'aimait bien. Il m'appelait sa petite perle du lac Magog. . . Il a épousé une fille bien ordinaire. Et cet étudiant en médecine à Laval, fils d'un ministre dans le cabinet de sir Lomer Gouin, qui m'a été présenté dans un bal au Bois de Coulonge, j'aurais pu devenir sa femme aussi. À plusieurs reprises, au cours de la soirée, il est venu m'enlever à mon cavalier pour me faire danser. Quel beau couple nous formions ! Lorsque je lui ai dit bonsoir sous le porche de la résidence du lieutenant-gouverneur, il m'a remis une rose volée dans le jardin, en me suppliant, à voix basse, de l'accompagner une semaine plus tard à la danse de la faculté de médecine au Château Frontenac. Le lendemain, il mourait dans un stupide accident de voiture dans la rue des Remparts. J'ai pleuré pendant une semaine. Pour me sortir de mon chagrin, une amie m'a présenté Henri. Il m'a plu tout de suite. Ses parents étaient des gens en vue dans la bonne société de Québec. Notre idylle n'a duré que quelques semaines. Maman a eu la fâcheuse idée de me rappeler à la maison pour l'aider et prendre soin de Renée, victime d'une broncho-pneumonie. Par la suite, elle a prétexté mille raisons pour me garder près d'elle, avec le résultat que je ne suis pas retournée à Québec. Henri m'a oubliée. Loin des yeux, loin du cœur. C'est sans doute pour me consoler que papa, fin psychologue, nous arriva avec Antoine. En faisant les présentations, papa me fit un clin d'œil. Qu'il a dû être déçu par mon accueil! J'ai fait la tête durant tout le repas et, malgré les efforts de papa pour me faire parler, je n'ai pas desserré les dents. Antoine m'a dit par après que c'était précisément à cause de mon attitude farouche, ce soir-là, qu'il décida de me conquérir. Il m'avait trouvée « adorable ». C'est le mot qu'il a utilisé. Et moi, je me suis laissée prendre comme une idiote. Je pensais qu'il deviendrait un grand brasseur d'affaires. Il me disait qu'il avait beaucoup de relations à Montréal et que son ambition, c'était de devenir riche. Il m'a fallu déchanter. . .

« Je ne dois pas être injuste. Ça a marché à merveille au début, jusqu'en 1925; il a voulu s'étendre et il a acheté une deuxième quincaillerie, cette fois dans l'ouest de Montréal. C'était trop pour lui. Il s'est endetté et ne pouvait plus honorer ses obligations. Les fins de mois sont devenues difficiles. Pendant ce temps, il n'arrêtait pas de me faire des enfants, croyant à tort que c'était tout ce qui m'intéressait. Quand il a décidé de liquider, j'en avais déjà six sur le dos. Lui, il s'en fichait pas mal. Ce n'était pas lui qui les élevait. Heureusement, ce ne fut pas tout à fait une faillite, car il a réussi à vendre, à perte sans doute, mais nous avons pu entrer un peu dans notre argent. Quelle veine quand même ! Six mois plus tard, la crise commençait. Nous aurions été complètement lavés ! Il n'a pas manqué de me le faire remarquer à plusieurs reprises, attribuant sa décision de vendre à son sens des affaires. Il m'a convaincue à l'époque mais depuis je me suis souvent dit que nous aurions pu passer à travers ce mauvais pas, s'il avait été plus tenace. Il y en a tout de même qui s'en sont sortis. Il s'est laissé aller au découragement pendant quelques mois, ne sachant plus où donner de la tête. Puis, un bon jour, il est arrivé tout joyeux à la maison et m'a dit que nous allions déménager à Val-des-Ormes « pour recommencer à neuf ». Son frère Alexandre tenait un hôtel dans cette ville du nord et lui offrait de l'aider à lancer une nouvelle quincaillerie. Pouvais-je refuser ? J'aurais dû dire non, mais avais-je le choix ? Il m'a parlé de cette ville en des termes tellement élogieux qu'il a fini par me convaincre. Une ville neuve, qu'il m'a dit, une ville sise au cœur des Laurentides, promise à un brillant avenir et dotée d'un petit séminaire et d'une école normale où il serait facile d'élever nos enfants et de leur donner une bonne éducation. Et c'est ainsi qu'enceinte de Jouve, je suis venue m'enterrer à Val-des-Ormes avec toute ma famille ! Si j'avais su... »

9

Ce retour en arrière rendit Mme Marans songeuse et morose. Elle aurait voulu penser à autre chose mais maintenant que le train de ses souvenirs défilait inexorablement devant ses yeux, elle ne savait comment le faire basculer dans l'oubli. Au lieu de la ramener, sinon à des moments plus gais, du moins à des préoccupations plus immédiates, la nature, par son silence complice et son inertie coupable, semblait donner libre cours au torrent d'images qui inondaient son cerveau. Vaincue, elle s'inclina et reprit la suite de son soliloque.

«Oui, si j'avais su ce qui m'attendait, je ne me serais jamais embarquée dans une entreprise aussi hasardeuse. Ça n'a pas été une mince affaire que d'ouvrir un nouveau commerce pendant la crise. Dieu seul sait s'il nous a fallu bûcher au début. Et que de privations nous avons dû endurer! Ainsi, la première année, je n'ai même pas pu renouveler ma garde-robe. À vrai dire, je n'en ai pas souffert car, à mon arrivée, j'ai tout de suite remarqué que les femmes portaient des robes passées de mode depuis plusieurs printemps. C'est le major MacLeod qui nous a sauvés. Nous sommes devenus son principal fournisseur. Il considérait Antoine sérieux, fiable et honnête. C'est vrai qu'il est tout cela, je le reconnais sans aucune hésitation, mais son honnêteté lui a joué de vilains tours. Que de fois il s'est fait rouler par les gens! Les clients abusaient de lui, le prenaient par les sentiments. S'en est-il fait raconter des histoires! Ce n'est pas le major qui se ferait avoir! Il me tournait autour dans les premiers temps; je ne sais pourquoi, il me gênait terriblement... Il a toujours été très correct avec moi. Quel homme ferme et calme! Il a l'assurance du chêne et la solidité du granit. Est-ce mon sang écossais, celui de la mère de maman, qui bouillonne quand je le rencontre? Sans doute puisque je me sens faible et très femme en sa présence. Il a une manière si charmante de lancer un compliment! Un soir, c'était un vendredi, nous nous sommes croisés à la porte du magasin. Il m'a dit, avec sa façon si singulière de déplacer l'accent tonique, que j'étais la seule fleur de cette ville perdue et que j'étais digne de vivre dans un manoir. Il prononçait « manoiaïr ». Je portais ma robe de velours de soie mauve qui me moulait si bien. J'allais jouer au bridge chez les Lanthier. Antoine, qui servait un client derrière le comptoir, nous a vus. Il n'a pas aimé ça du tout. Il a fait mine de nous ignorer mais j'ai bien senti qu'il était jaloux. Qu'est-ce que le major voulait dire exactement? J'ai eu l'impression qu'il avait pris un verre de trop. Ses yeux brillaient comme des charbons embrasés. Quand je l'ai rencontré de nouveau la semaine suivante en me rendant à l'église avec Antoine, il nous salua rapidement avec un petit air gêné. Il n'a jamais plus été le même par la suite. Il m'a semblé qu'il venait moins au magasin. Il envoyait un de ses hommes. Je ne vois plus sa femme souvent; j'ai ouï-dire qu'elle ne m'a pas en odeur de sainteté. Que serait-il arrivé si le major avait entrepris réellement de me faire la cour? Aurais-je cédé? La question me trotte parfois dans la tête. Qu'est-ce qui m'aurait retenue? La peur du scandale? Nous aurions pu nous voir en cachette. Pourquoi pas à Montréal? Je n'aurais eu qu'à multiplier les occasions de m'y rendre, comme le fait la Vermais. Elle s'en donne à cœur joie, elle. Son mari fait de même d'ailleurs. À tour de rôle, ils font leur petit voyage à Montréal. Pourquoi le major a-t-il changé d'attitude à mon égard? Je pousse un peu. N'est-il pas plutôt devenu plus prudent? Nous nous sommes revus à quelques reprises. Nous avons échangé quelques paroles au hasard d'une rencontre dans la rue, ou à l'occasion d'une réception que l'importance de son rôle dans la vie économique de la ville ne lui permettait pas d'éviter, malgré son peu d'enthousiasme pour les mondanités. Les mots qu'il ne me disait pas, son regard tendu et son sourire ténu me les révélaient comme un miroir. Les premiers soupçons de sa femme doivent remonter à cette brève rencontre dans le magasin, car c'est peu après qu'elle a commencé à me bouder. Quelque bonne âme a eu vent de l'affaire et a couru la lui raconter. J'étais néanmoins très belle, ce soir-là. Antoine m'en avait justement fait la remarque à mon arrivée au magasin. Il n'était pas avare de compliments comme aujourd'hui. Je n'avais pas encore de cheveux gris. Ça aurait été excitant d'avoir une aventure avec le major ! J'en connais plusieurs qui seraient mortes de jalousie. J'aurais aimé me blottir dans ses bras, m'abandonner complètement. À l'époque, j'ai même souhaité la mort de sa femme. Quelle horreur ! Antoine, lui, aurait pu mourir subitement. Hé quoi ! ce sont des choses qui peuvent arriver ! Devenue une femme libre et remariée avec le major, je serais allée m'installer dans son manoir. Madame Rose MacLeod ! Ça sonne bien. J'aurais engagé une femme de chambre, et un jardinier. On aurait pu se payer un chauffeur et rouler dans une grosse limousine. Antoine prétend que le major est millionnaire... J'oublie les enfants. Qu'est-ce que j'aurais fait de mes sept enfants ? Et le major avec ses deux fils ? Sa maison est assez grande, il n'aurait eu qu'à ajouter une aile. En réalité, il aurait été plus simple de tout abandonner ici et de fuir seuls. Il aurait pu m'emmener en Écosse, ou bien nous aurions pu aller vivre en Nouvelle-Angleterre, à Osenquit, par exemple, où demeure Renée. J'ai toujours rêvé de vivre au bord de la mer, dans une maison blanche avec de grandes pièces vitrées, un immense hall tout éclairé et, au fond de celui-ci, un escalier à double révolution avec des rampes d'acajou. »

Mme Marans retint cette dernière image. À trente ans de distance, elle revit la grande demeure de style colonial, construite sur un promontoire donnant sur l'Atlantique, non loin de Portland, dans le Maine. Ancienne résidence bourgeoise convertie en auberge pour les nouveaux mariés, elle y avait séjourné une dizaine de jours avec Antoine, au lendemain de leurs noces célébrées à Sherbrooke. Des dunes en contrebas, qu'ils aimaient parcourir chaque après-midi sous le soleil et contre le vent, l'élégante construction avec son toit plat et son haut porche demi-circulaire, à colonnades, évoquait pour eux un temple grec dédié à Junon.

« Temple de l'amour, implora-t-elle en soupirant, te reverrais-je un jour ? Que ne donnerais-je pour t'habiter de nouveau ! »

« Maman, maman, cria Sylvaine de l'arrière de la villa où elle arrivait avec Adeline, regardez les belles fraises que j'ai recueillies. J'ai rempli tout mon pot.

— Qu'est-ce qu'il y a ? qu'est-ce qu'il y a ? » fit Mme Marans, étourdie, la voix éteinte.

Elle se redressa sur son siège, le visage défait. Sylvaine s'approcha d'elle en courant, suivie d'Adeline qui alla se planter de l'autre côté de la chaise longue. Muette, Mme Marans prit les deux pots de fraises des champs qu'elles lui tendaient, les déposa sur la table de jardin en métal, tout à côté, et, dans un geste fébrile, attira ses deux filles vers elle. Sylvaine se glissa à côté de sa mère qui se rangea pour lui faire une petite place, cependant qu'Adeline, qui s'était mise à genoux, lui entoura la taille avec ses deux bras, la tête enfouie dans sa robe. Pendant un long moment, Mme Marans ne répondit pas aux nombreuses questions que lui posèrent ses filles, se contentant de les caresser, de passer ses mains dans leur cheveux.

« Maman, vous me faites mal, s'exclama Sylvaine, coincée qu'elle était entre sa mère et l'accoudoir. Vous me serrez trop fort. »

Pour seule réponse, elle se déplaça vers la gauche pour libérer Sylvaine. Les deux filles cessèrent bientôt de parler, à la fois gagnées par les douces étreintes de leur mère et étonnées par cette démonstration d'affection si inusitée. Toutes trois formaient dans cette posture un tableau gracieux, d'une simplicité toute bucolique, à l'intérieur duquel les délicats rouleaux de soie brune de Sylvaine, que sa mère pressait contre sa poitrine, s'ouvraient, s'étalaient sur la chevelure blonde d'Adeline, séparée à la base du cou par deux nattes très lâches qui, dans leur abandon, découvraient sa nuque blanche, coupée par une fine chaînette d'or. Toute chavirée, Mme Marans rejeta son chapeau et se pencha sur ses deux enfants pour mieux les enlacer ; quelques mèches grises se détachèrent de sa toque et se mêlèrent à leur tour à la masse de cheveux entrelacés. Complaisant, le soleil concentra le feu de ses grâces sur ces trois êtres si inextricablement unis, en sorte que l'intensité dramatique de ce moment privilégié en fut décuplée. Même le vent, d'ordinaire farouchement indépendant et sourd aux supplications de la nature qu'il se plaît à tourmenter, se laissa attendrir : il tomba tout à coup et son sifflement s'éteignit. Avec lui s'arrêtèrent le bruissement des feuilles dans les arbres et le clapotement de l'eau contre les parois de la chaloupe amarrée au quai. Le seul mouvement, mais il était si léger et si affectueux qu'il renforçait la quiétude de cette scène au lieu de la briser, c'était celui des mains de Mme Marans remontant la nuque de ses deux filles, s'ouvrant en éventail à la racine de leurs cheveux qui se gonflaient et ondulaient, telles deux gerbes de plantes aquatiques. Finalement, dans une étreinte tellement chargée d'émotion qu'elle parut contenir toute sa tendresse maternelle et tout l'amour vibrant dans son cœur de femme, Mme Marans attira contre son visage les deux têtes de chérubin tapies contre elle et s'écria, les larmes aux yeux :

« Mes pauvres choux, si vous saviez combien je vous aime ! Il faut que vous m'aimiez beaucoup. Vous devez m'aimer toujours. Je ne suis plus jeune. Je suis une mère faible et malade. Quand vous serez grandes comme Julienne, je serai une vieille dame au dos courbé, percluse de rhumatismes. . .

— Oh ! maman ! s'exclamèrent Sylvaine et Adeline.

— Que je vous aime !

— Maman ! Maman ! je vous aime beaucoup », fit la première, éperdue, en se jetant au cou de sa mère, tandis que la seconde, qui suffoquait, ne put que lancer désespérément : « Maman ! »

Devant l'expression d'intense bonheur qui s'inscrivit alors dans les yeux embués de leur mère, une soudaine animation les gagna toutes les deux et ce fut à qui en dirait le plus, et le plus rapidement.

« Je ne me marierai pas, maman. Je vivrai toujours avec vous, jura Sylvaine, toute jubilante d'avoir pris de court son aînée.

— Mais moi, je veux me marier, coupa Adeline. Vous viendrez vivre avec moi. J'aurai. . .

— Je serai votre bâton de vieillesse. Je gagnerai beaucoup d'argent. . .

— J'aurai de nombreux enfants qui. . .

— Nous ferons des voyages ensemble. Oh ! que j'aimerais prendre le bateau !

— Vous ne serez jamais seule. La maison sera pleine d'enfants.

— Maman, vous n'êtes pas vieille. Vous êtes la plus belle mère du monde. Vous ne pouvez vieillir. . .

— Mon mari sera un grand médecin, décida Adeline avec le sens pratique de son père. Il soignera vos rhumatismes. Il vous guérira. . .

— J'achèterai une grande maison comme celle des MacLeod. Il y aura des fleurs dans toutes les pièces. La maîtresse dit que les fleurs sont un don du bon Dieu. Quand nous ne sommes pas sages et que nous désobéissons à nos parents, elles saignent et meurent. Je ne veux pas que les fleurs meurent. Je serai toujours sage, maman. Je vous le promets. . .

— Tu n'écoutes pas toujours, interrompit Adeline. Quand maman te dit de dormir, tu inventes toutes sortes de raisons pour rallumer. Martine ne cesse de crier après toi. Moi, j'écoute toujours. . .

— Ce n'est pas vrai, maman. Tu es méchante, Line. Je ne t'aime pas. C'est toi qui n'écoutes pas. . .

— Là, là, interjecta Mme Marans que cet échange étourdissait mais qui riait de bon cœur, il ne faut pas que vous vous chicaniez maintenant! Vous êtes toutes les deux de grandes filles sages. Tenez, vous êtes mes préférées. Si je ne vous avais pas, je ne sais pas ce que je ferais. »

Sylvaine s'était relevée et fixait les raies plates et violacées qui zébraient à certains endroits les jambes dénudées de sa mère.

106

« Maman, pourquoi vos veines sont comme ça ? dit-elle en faisant une grimace.

— Ce n'est rien. Ce sont mes varices. C'est le soleil qui les fait paraître ainsi.

— Est-ce que j'aurai des varices, moi aussi, quand je serai vieille ? C'est laid. J'espère bien que je n'en aurai jamais.

— Je te le souhaite, mon chou, répondit sa mère dont le cœur se serra. Oh ! les belles fraises ! s'exclama-t-elle pour changer de sujet de conversation. Et ce sont mes deux filles qui ont ramassé tout cela ! Je suis si contente. Allez les porter à Martine. Il y en a assez pour faire deux tartes.

— Maman, ça se guérit comment des varices, continua Sylvaine, toute à sa découverte.

— Sylvaine, s'écria Adeline sur un ton courroucé, viens dans la maison. Laisse maman se reposer. Tu ne vois pas que tu l'ennuies avec tes questions absurdes.

— C'est ça, mes enfants », dit leur mère avec une pointe de tristesse dans la voix.

Mais se maîtrisant elle leur prit la main et offrit sa joue rose sur laquelle toutes deux plaquèrent une bise, Sylvaine, un peut contrite, et Adeline, avec détachement. À mi-chemin vers le chalet, Sylvaine s'arrêta, puis, après avoir remis son pot de fraises à sa sœur, suggéra : « Reposez-vous, maman. Ça vous fera du bien. » Et en se dandinant sur ses jambes droites et fermes, elle se dirigea vers la maisonnette de poupées dont l'ombre creusait une brèche noire au bas de la haie derrière.

C'était la benjamine de la famille et aussi la plus choyée. Elle n'avait pas tardé à se rendre compte de la situation exceptionnelle que lui conférait ce statut dont elle abusait volontiers, avec une innocence certes naturelle pour un enfant de son âge, mais où s'inséraient quelques éléments de comédie desquels assurément personne n'était dupe, sans pour autant y résister ou avoir la témérité d'y faire échec. Quand la feinte était trop grosse, elle battait en retraite promptement, sachant toutefois tourner l'opération à son avantage en riant plus fort que tous les autres, ce qui indiquait par là qu'elle n'avait voulu au départ que s'amuser. Pour se faire pardonner ses étourderies ou contrer les foudres de l'autorité paternelle à la suite d'un acte de désobéissance flagrant, elle prenait carrément les devants et pulvérisait toute velléité de reproche et d'admonestation par le visage à la fois ignare, angélique et repentant qu'elle se composait. À moins de passer pour un ogre, son père était bien forcé de retraiter et de passer l'éponge. Une telle partialité rendait évidemment Adeline et Jouve jaloux, car il n'avait pas à leur égard une attitude aussi indulgente. Mais cette mise en scène dans laquelle, avec tant d'agrément, se complaisait Sylvaine, elle n'aurait pas été nécessaire à vrai dire tant sa grâce juvénile, la mignardise de son visage de porcelaine rose et l'équilibre si réussi de son corps de fée touchaient et désarmaient le cœur de son entourage.

Il y avait de sa mère dans Sylvaine, beaucoup plus que dans ses autres sœurs et dans ses frères. Il semblait que le modèle maternel, tellement confus du côté des filles que ses caractéristiques en étaient ou méconnaissables ou déformées, ou encore noyées dans les traits venant du père, ressurgissait chez Sylvaine dans son état primitif, dans toute sa pureté et toute sa potentialité comme si, parce qu'elle était la dernière, il s'imposait d'en préserver la réplique, avant que l'original ne se perdît à tout jamais.

Après Julienne et Gédéon, ses deux plus vieux, auxquels elle avait accordé une attention d'autant plus affectueuse et constante qu'elle procédait d'un état nouveau et par là excitant encore pour une jeune mère que les afflictions et les déceptions de la vie n'avaient alors que peu ébranlée, Mme Marans s'était résignée, devant les maternités nombreuses qui suivirent et qui émoussèrent graduellement l'ardeur de sa sollicitude maternelle, à se retirer de l'avant-scène quotidienne, — celle où la tâche pourtant noble d'élever une famille se réduit trop souvent à changer les couches ou à soigner un rhume bénin, — à limiter la dispersion de ses efforts et, en conséquence, à ménager ses forces en associant à son œuvre d'abord Julienne, puis Martine surtout avec laquelle les plus jeunes s'identifiaient plus qu'avec leur mère. Certes, elle était toujours présente et la place qu'elle occupait dans la famille demeurait la première, elle en était même magnifiée car, en se désintéressant des petites susceptibilités et des petites jalousies entre frères et sœurs, en laissant Martine régler les crises mineures, bref, en se réservant le beau rôle, Mme Marans avait du même coup relevé la qualité de ses interventions et rendu celles-ci d'autant plus souhaitables et recherchées qu'elles s'espaçaient.

Dans le cours de cette lente mutation, c'est la femme, finalement, qui avait repris le dessus sur la mère. Il y avait donc deux aspects bien distincts chez elle et, contrairement à ce qui arrive souvent en pareil cas lorsque, avec les années, l'image de la femme s'efface devant celle de la mère, Mme Marans avait non seulement ravivé la première mais l'avait graduellement dissociée de la seconde, tant et si bien que ses plus jeunes, surtout Jouve, Adeline et Sylvaine, ne connaissaient la mère qu'à travers la femme. Pour eux, la mère, c'était Martine, avec sa bonhomie douillette et sa réserve de patience ; Martine dont la complicité rieuse et l'infatigable compréhension coloraient ses rapports quotidiens avec les benjamins de la famille ; Martine dont la figure ronde et joviale, dont la taille courte, nerveuse, frémissant de vie et d'amour, laissaient à nu la générosité de son cœur et la simplicité de son âme.

Avec Sylvaine, en qui elle se reconnaissait à son âge, dont le petit caractère incisif, dans ses manifestations infantiles, réveillait tant d'échos qu'elle pensait entendre une voix familière quoique lointaine, parce que logée dans le tréfonds de sa propre enfance, Mme Marans avait recouvré l'instinct maternel, non pas celui que caricature le geste machinal et distrait d'une mère usée, mais plutôt celui qui naît de l'exaltation d'une jeune épousée et sourd de l'esprit de fabulation d'une parturiente. Conséquence remarquable, cette transformation l'avait rajeunie et sa beauté orgueilleuse, si glaçante parfois et si apte à écarter les importuns et à bloquer les élans affectueux de ses enfants, s'était adoucie, brillait maintenant d'une telle acuité que ceux-ci ne remarquaient plus ses ca-

110

prices croissants, s'irritaient moins de ses humeurs, et que l'adulation distante dont elle avait toujours été l'objet, s'en trouvait sublimée et acquérait en quelque sorte une raison d'être qui donnait bonne conscience à ceux qu'elle envoûtait. À la voir régner avec tant d'assurance discrète sur sa famille et sur ses proches, à observer l'aisance innée qui caractérisait le moindre de ses gestes en société et l'audience qui lui était acquise aussi spontanément, ses intimes ne croyaient pas à la réputation de femme égoïste, capricieuse à l'excès et hautaine, que tentaient d'accréditer ceux qu'elle avait tenus loins de son cercle d'amis ou qu'elle évitait de saluer à la sortie de la messe.

À Montréal, après la faillite de l'entreprise familiale, l'état des affaires de son mari avait sérieusement compromis sa vie sociale et l'eût, éventuellement, empêchée d'accéder à un autre palier de l'échelle mondaine, mais à Val-des-Ormes, une ville qui conservait, malgré son évêché et son Palais de Justice, malgré ses établissements d'enseignement qui attiraient les jeunes à des dizaines de milles à la ronde, malgré même son titre de chef-lieu, les traits frustes d'une agglomération souffrant encore de la rudesse de ses origines, et servant surtout de plaque tournante à des centaines de bûcherons qui déferlaient dans ses rues commerçantes à chaque printemps et s'entassaient dans ses tavernes pour dépenser en quelques jours tout l'argent gagné en forêt pendant l'hiver, et aussi à des milliers de touristes qui la traversaient de mai à octobre afin d'aller écumer les lacs poissonneux et les territoires giboyeux de la région, à Val-des-Ormes, Mme Marans avait trouvé une classe bourgeoise sans beaucoup de traditions,

111

au sein de laquelle il lui avait été facile d'imposer sa règle et qu'elle avait réussi, en peu d'années, à polariser autour de sa personne, encore que quelques noms, et non des moindres, lui eussent toujours échappé, tels le docteur Langevin et le major MacLeod que leur situation respective et l'emprise économique qu'ils exerçaient sur la ville, — la moitié de la population était à leur emploi, — plaçaient dans une catégorie à part et qui, de ce fait, ne se mêlaient à aucun groupe et vivaient en marge comme il sied à de grosses fortunes.

La présence de Sylvaine, l'image d'elle-même dont elle était l'esquisse, sinon le double, avec comme conséquence le fait que la mère cherchait à transposer chez sa fille des aspirations à ce point assourdies qu'elle les avait cru annihilées par les ans, et à revivre à son intention des rêves nés de la banalité de sa vie provinciale et nourris, à son insu, par son romantisme de début du siècle, tout cela avait eu chez Mme Marans des effets bénéfiques qui se traduisaient par la qualité nouvelle, mieux sentie, de son comportement vis-à-vis de son entourage et surtout par le raffinement accru de sa perception d'elle-même.

Au demeurant, cette conjonction favorable la servait à merveille et elle n'était pas femme à ne pas en profiter. Ne lui permettait-elle pas, en effet, de justifier les pires égarements de son esprit, les plus monstrueux écarts de son imagination ? Ne l'autorisait-elle pas à descendre dans les abysses de son être, à fouiller tous les méandres de son cerveau pour y extraire les phantasmes les plus reculés, souvent les plus vivaces, de même que les chimères de la femme mûre qu'elle était devenue subséquemment et les mirages fragiles sur lesquels reposait sa vie mondaine ? Afin d'éviter que Sylvaine ne commît les mêmes erreurs qu'elle et de l'immuniser du même coup contre les leurres de l'existence, elle se croyait en droit de puiser dans sa propre expérience et de mettre son âme à nu, quelque lourd qu'en fût le prix. Mais à forcer trop le parallélisme, il y avait danger de détruire chez Sylvaine la fraîcheur d'âme propre à son âge, de freiner ou de gauchir son épanouissement normal, si elle était poussée à affronter des expériences prématurées, hors de son monde de calmes impressions et de certitudes naïves. De ces choses, Mme Marans était très consciente, mais elle avait tellement hâte de renaître dans sa fille qu'elle ne pouvait s'empêcher d'accélérer son développement et d'attendre d'elle des réactions de jeune fille, en s'étonnant qu'elle se comportât comme un enfant gâté ou qu'elle agît, comme si c'était l'attitude la plus normale du monde, avec la cruauté involontaire de son âge.

L'allusion blessante de Sylvaine au sujet de varices de sa mère entrait dans cette dernière catégorie. Mme Marans avait reçu le coup sans broncher. Du moins aima-t-elle croire que son désarroi n'avait pas été détecté et que le changement dans sa voix n'avait pas été interprété comme un aveu de faiblesse. Après coup, en observant la silhouette de Sylvaine à travers les minuscules losanges de clarté, formés par l'entrecroisement des lattes de la maisonnette, en l'entendant tancer ou consoler ses poupées avec une autorité si naturelle que les formules apprises par cœur qu'elle répétait avec l'accent faussement simpliste, le ton chantant d'une mère qui parle à son enfant, paraissaient dans sa bouche émaner d'une vraie mère, ses sentiments à l'égard de sa fille se couvrirent d'un voile d'indulgence et d'orgueilleuse satisfaction. Mais ce fut le baiser franc, spontané, que Sylvaine vint lui donner, avant de se rendre à la baignade avec Adeline, qui rendit son sourire à Mme Marans. Ce fut donc sans arrière-pensées qu'elle s'allongea de nouveau sur sa chaise et reprit sa rêverie interrompue. Autour d'elle, l'atmosphère s'appesantissait, la vie végétale s'engourdissait et une sorte d'inertie s'emparait des choses, à mesure que le soleil, en approchant du zénith, suspendait tout mouvement, éliminait les zones d'ombre et de fraîcheur, et fixait tout au sol comme s'il voulait assurer pour un temps sa complète domination de la nature.

10

En dépit de ses intentions de fermeté et de détachement à l'égard d'Anne, Jouve fut déçu, en arrivant à la plage, de ne point l'apercevoir parmi la petite bande dont la gaieté et le tohu-bohu violentaient l'air fragile et cristallin de onze heures. Tout en affectant d'être absorbé par ce que lui racontait Mathieu qui le talonnait, il la chercha anxieusement des yeux avant de rendre à l'évidence qu'elle n'était pas là. Toujours à cause de ses fâcheuses résolutions, Jouve n'avait pas osé s'enquérir auprès de son ami des allées et venues de sa sœur, de sorte qu'il ignorait encore si elle était revenue de Saint-Hippolyte. Pour éviter que Mathieu ne le plaisantât méchamment, il s'était abstenu de toute allusion directe, non sans nourrir le secret espoir qu'il lui communiquât l'information désirée dans le cours de la conversation.

Peut-être était-elle en train de nager au milieu de la baie comme elle aimait le faire quand elle parvenait à échapper à l'œil attentif d'Angélie ou décidait de passer outre à ses supplications. Justement deux têtes blanches émergeaient de l'onde à une bonne distance de la rive. Jouve s'approcha, bousculant quelque peu la jeune Isabelle, qui jouait dans le sable, afin de scruter l'horizon. « Aïe ! Jouve, fais donc attention ! » lui cria-t-elle avec un petit air irrité. Mais il avait déjà les pieds mouillés et se préparait à relever le défi que lui avait lancé Mathieu, savoir lequel des deux plongerait dans l'eau le premier.

Pour Mathieu, la plus innocente activité se transformait en combat, avec ses règles immuables, sa technique particulière et son déploiement d'oriflammes. Aucune démarche n'était gratuite, désintéressée, sans mobile précis ; elle se résolvait toujours dans l'action, laquelle était forcément physique. Quand Mathieu apercevait un objet quelconque par terre, il ne le ramassait pas, il le bottait. Un obstacle lui barrait-il la route qu'une sorte de frénésie guerrière s'emparait de lui. Il n'était pas question de le contourner : l'objet devait être soulevé, écarté, repoussé dans le fossé. Il aimait mieux rebrousser chemin que de passer à côté. En forêt, la branche qui lui fouettait le visage devait être cassée ; la grenouille qui lui glissait entre les jambes, écrasée ; la touffe de quatre-temps, piétinée. Si d'aventure l'horloge à gaine, dite « grand-père », qui se dressait dans un coin de la salle de séjour s'arrêtait, il n'essayait pas de la remonter avec la clef, c'était trop compliqué ou trop simple : il la secouait, il la frappait de côté avec la paume de la main, il s'amusait à faire osciller l'énorme balancier.

Ce genre de rapport, où entraient, à des degrés variables et selon ses humeurs, un senti-

116

ment d'impatience, un soupçon de force brute et des dispositions certaines pour la fanfaronnade, que Mathieu entretenait avec les choses, il le transposait aussi dans ses relations avec son entourage. Louis et Isabelle, plus qu'Anne, en étaient les infortunées victimes. Sans doute lui arrivait-il à l'occasion, quand les circonstances lui avaient permis d'épuiser ailleurs son surplus d'énergie, de se montrer gentil avec Isabelle, même de condescendre à s'amuser un instant avec elle, mais le plus souvent, surtout s'il n'y avait pas de témoins gênants, ses impulsions agressives remontaient à la surface ; la situation se gâtait et la pauvre Isabelle, tout en pleurs, ses belles boucles blondes défaites, la cuisse rouge, s'enfuyait dans la cuisine afin de chercher refuge et protection auprès d'Angélie. Quant à Louis, Mathieu ne lui accordait aucun répit et ne faisait montre à son endroit d'aucune pitié. De fait, les relations entre eux étaient on ne peut plus simples. Louis dormait-il : Mathieu le jetait en bas du lit. Hésitait-il à plonger dans l'eau : il l'y poussait tête première. S'il s'aidait d'une échelle pour grimper sur un arbre, il n'était jamais assuré d'en redescendre puisque Mathieu, même s'il le croyait loin, arrivait toujours inopinément et lui retirait l'échelle sous les pieds. Quand Mathieu lui permettait enfin de revenir à terre, Louis n'était pas pour autant au bout de ses peines, car s'il esquivait assez aisément la chiquenaude sur l'oreille, il échappait rarement au croc-en-jambe que lui donnait son frère.

La passivité de Louis devant Mathieu n'étonnait pas. Assez chétif de constitution, les jambes blanches marquées d'ecchymoses et de cicatrices, une tête aux cheveux d'un blond

117

pâle, clairsemés, au profit anguleux et au teint hâve, jamais il ne protestait ni se plaignait auprès de ses parents ou d'Angélie : seules ses lèvres violettes dessinaient un sourire contraint, enigmatique, que semblait contredire le courroux de ses yeux verts dont le caractère exorbité paraissait forcé sous ses sourcils presque invisibles. C'était là, dans l'immédiat, l'unique réflexe de Louis. Ses parents le croyaient doux de nature et lui reprochaient souvent sa morosité sans insister outre mesure ni en chercher l'origine. Mme Burgaud avait un faible pour lui mais elle n'aurait jamais osé le traduire en gestes concrets de peur de s'attirer l'ire de Mathieu, dont elle était impuissante à contrôler les actes et qui, au surplus, réagissait à toute forme de complaisance à l'égard de son frère par un gros rire méprisant qui, outre qu'il perçait le cœur de sa mère, enlevait à Louis toute envie d'un traitement de faveur.

Il est de fait que Mme Burgaud avait peur de son grand fils qui prenait plaisir à la tourmenter et ne ratait jamais l'occasion de lui lancer une remarque désobligeante, ne s'arrêtant que lorsque des larmes discrètes, retenues, opalisaient ses yeux gris bleu d'où sourdait un appel à la pitié. Alors, et alors seulement, Mathieu cédait. Pris de remords, toute fierté apparemment disparue, il se jetait sur sa mère et l'enserrait avec ses bras puissants. La tête collée contre son oreille, il lui chuchotait pour ne pas être entendu de Louis et d'Isabelle : « Ne vous en faites pas, petite maman, je voulais seulement vous taquiner. » Et Mme Burgaud semblait heureuse de s'en tirer à si bon compte. Elle n'était pas dupe pourtant : si elle acceptait de se faire complice de son fils, c'était moins

118

parce qu'elle croyait à la profondeur de ses regrets que parce que, le connaissant et sachant l'acuité de son orgueil, elle désirait ménager sa vanité et lui montrer que la vraie force était avant tout morale. Il est douteux que Mathieu retînt la leçon de sa mère. S'il aimait déceler les faiblesses d'autrui et les utiliser à son profit — et Dieu sait s'il lui arrivait de pousser ce jeu très loin, — il était incapable de reconnaître la pureté d'un cœur et la profondeur d'un sentiment. Toute sa physionomie trahissait l'attitude de l'assaillant, de celui qui fonce constamment : son nez busqué aux narines incurvées, son front fuyant qui disparaissait sous une épaisse chevelure brillantinée, tirée vers l'arrière, et son teint cuivré et luisant sur lequel tout semblait glisser et qui, sous l'effort, mettait en relief la forte musculature de son cou et de ses bras.

Avec de telles dispositions naturelles, Mathieu n'encourait aucun risque en engageant un pari avec Jouve qui, quoique plein de bonne volonté, fut facilement distancé par son camarade. En pareille circonstance dans le passé, Jouve eût ressenti une lancinante humiliation qu'il aurait, nonobstant, pris soin de dissimuler. Cette fois, il choisit d'en rire et ne chercha pas à excuser sa défaite. Sa pensée voguait ailleurs car, pendant que Mathieu, tout à son triomphe, le narguait et le raillait au grand plaisir de la galerie de petit monde qui s'agitait dans son sillon, il scrutait le large, il tentait d'identifier les deux têtes blanches qui étincelaient sur l'onde comme des coquilles. Au lieu de se rapprocher, elles semblaient s'éloigner du rivage et disparaître. De fait, comme il était lui-même immergé jusqu'au cou, ce qui rétrécissait son champ de vision, et que, par l'effet des vagues, les nageuses tanguaient capricieusement, il n'arrivait pas à les fixer assez longtemps pour les reconnaître. Louis était venu le rejoindre et s'accrochait à lui, croyant sans doute qu'en se mettant sous son aile, il échapperait aux brimades de son frère dont le corps de lamproie filait vers le large. Jouve aurait pu demander à Louis, peu soupçonneux de nature, l'identité des deux baigneuses sans que cela créât toute une histoire, mais à mesure qu'approchait le moment où, si son intuition était juste, Anne lui ferait face, il se sentait envahi par un sentiment de panique, délicieux et délirant. Parfois, un frisson, long et glacé, le parcourait ; ses membres, peu habitués encore au froid de l'eau, se convulsaient l'espace de quelques secondes avant de se figer.

À côté, Louis, blanc et délavé, tremblait lui aussi en claquant des dents. Son regard traqué mais adouci sous ses sourcils que dorait le soleil continuait de supplier Jouve. Moitié pour combattre sa propre paralysie, moitié pour tromper son attente et, du même coup, répondre à l'appel muet de Louis, Jouve se laissa caler au fond, et, avec ses jambes, alla repousser son jeune compagnon qui culbuta. La glace était brisée. «Nous aussi», crièrent en chœur Adeline et Sylvaine, en accourant, suivies par Isabelle qui, avec son nez retroussé au-dessus de l'eau, ses frisettes défaites flottant en cercle autour de sa tête, ressemblait à un jeune épagneul apeuré qui essaie de nager. Jouve alla à sa rencontre et la prit dans ses bras. Formant un marchepied avec ses mains, il la souleva hors de l'eau et l'aida à plonger. Excitée, sautillante, et un brin jalouse, Sylvaine s'agrippa à son frère et, sur un ton chantant et ingénu, réclama

120

le même traitement. Il s'y soumit de bonne grâce, et durant plusieurs minutes, dans une joyeuse pétarade de sons aigus, de rires étouffés entremêlés du bruit des tourbillons d'eau, Isabelle et Sylvaine, auxquelles se joignirent d'autres enfants, vinrent se planter à tour de rôle à côté de Jouve pour attendre leur plongeon. Les « encore Jouve », les « plus loin », les « de ce côté-ci » se succédèrent sans interruption, cependant qu'autour d'eux les plus grands suspendaient leurs ébats pour admirer cette sarabande nautique et que, sur la plage, Angélie quittait sa chaise longue pour s'approcher du bord craignant peut-être que le jeu ne tournât mal, surtout qu'elle avait vu Mathieu s'approcher.

Pour magnifier sa victoire sur Jouve et remuer le fer dans la plaie, Mathieu, après qu'il eut invité son ami à le rejoindre, s'était éloigné vers le large en direction du chalet des Mac-Leod dont la lumière pétrissante du soleil pochait la silhouette belliqueuse sur ses assises de roc et de pieux glauques. Confiant que Jouve se lancerait à sa poursuite, il crawla rapidement, méthodiquement, sans regarder en arrière. C'était un superbe nageur : comme une mécanique bien rodée, ses longs bras souples et musclés se retiraient de l'eau alternativement pour y retomber aussitôt suivant une cadence pleine d'élégance plastique. De tous les jeunes fréquentant les plages de la baie, il était le seul à pratiquer la natation selon les règles, à connaître ses secrets, ayant reçu dès sa prime enfance des leçons d'un maître nageur engagé à grands frais par son père. L'adaptation de Mathieu aux éléments, la rigueur économe de son geste et sa souplesse de grand fauve tranchaient avec l'esprit d'insoumission invétérée et l'instinct d'agression qui marquaient d'ordinaire son comportement. Dans l'eau, il n'était plus le même : discipliné, persévérant et souple, il savait faire preuve de prudence devant le danger et ne dépensait son énergie qu'à bon escient. Ces qualités — et d'autres — que le docteur Burgaud avait essayé de développer chez son fils, cessaient de se manifester, devenaient lettre morte aussitôt que Mathieu regagnait la terre ferme. Il s'agissait là, bien entendu, d'un phénomène psychologique pour le moins surprenant et qui n'avait pas manqué de dérouter et de désoler l'ancien médecin major attaché au corps expéditionnaire canadien.

11

Quand il était rentré au pays, au lendemain de la victoire alliée, le docteur Moïse Burgaud avait depuis fort longtemps laissé tomber sur la chaussée dépavée, bombardée d'Ypres, sa houppelande de jeune médecin bourgeois, fraîchement sorti de l'université et promis à une carrière brillante et facile dans la clinique de son père, accrochée au flanc du Mont-Royal, dans un quartier huppé de Montréal. Ses proches ne reconnurent plus dans cet officier roide et sec, sanglé dans son uniforme comme une gousse d'ail dans son enveloppe, au verbe haut et court, dont le visage buriné et l'arcade sourcilière très prononcée accusaient une maturité précoce et déjà triste, l'étudiant bohème, irrespectueux qui, tout au long de ses études classiques au collège Sainte-Marie, puis pendant ses années d'université, s'était permis toutes les frasques pour le plus grand désespoir de son père qui n'avait pas osé miser trop sur son fils pour assurer la relève à la clinique. Autant le docteur Burgaud père fut agréablement surpris de cette métamorphose qui augurait bien pour l'avenir, autant le grand-père, Moïse le vieux, dont les longues années de retraite avaient été égayées par les irrévérences et les équipées vagabondes du petit-fils dans les rues mal éclairées du port, eut peine à masquer sa déception. Frappé le lendemain par la grippe espagnole, il s'alita, refusa toute médication et mourut deux jours plus tard : il avait 88 ans. L'image de son corps frêle et vitreux, pareil à un cierge, reposant sur un lit drapé de noir, frappa aussi vivement son petit-fils que les mille horreurs dont il avait été témoin outre-Atlantique, les visions apocalyptiques qu'il en avait retenues, et qui allaient le hanter sa vie durant. Mais il est dit qu'un malheur ne vient jamais seul. Une semaine plus tard, c'était au tour de son père d'être terrassé par l'épidémie. Le jeune médecin s'affaira autour de lui, l'isola dans une des plus belles chambres de la clinique afin qu'aucun membre de la famille n'entrât en contact avec lui, et, ultime mesure pour sauver son père, il appela en consultation les meilleurs médecins de Montréal, tous confrères du malade, mais en vain.

Le docteur Burgaud père trépassa la veille de Noël 1918 au moment où, dans la ville ensevelie sous plusieurs couches de neige, les cloches de ses dizaines d'églises annonçaient la naissance du Christ et la fin d'un cauchemar, car l'épidémie de grippe semblait être vaincue et disparaître aussi rapidement qu'elle était arrivée.

Ainsi, à peine deux semaines après son retour, l'aîné des Burgaud auquel le ciel venait d'enlever deux des êtres qu'il aimait le plus : ce grand-père dont il n'avait jamais manqué, durant les heures les plus noires de la guerre, d'évoquer la sage tolérance et la foi souriante, et ce père qui avait, à des centaines de milles, guidé ses mains de chirurgien encore inexpérimenté et, au moment opportun, lui avait fait découvrir — par télépathie? — les différents traitements pour sauver des vies ou atténuer le mal des cas désespérés qui se succédaient sur sa table d'opération, l'aîné se retrouva donc seul à la tête de l'entreprise hospitalière de la famille sans personne sur qui s'appuyer. Sa mère, sous le coup de la douleur et partiellement touchée par la grippe, ne lui fut au début d'aucun secours ; ni son frère plus jeune d'ailleurs, encore aux études, ni ses deux sœurs, accablés tous par le malheur qui les frappait et inquiets de la maladie de leur mère. Lui-même n'en menait pas large : la guerre lui collait encore à la peau comme un gant mouillé que l'on ne parvient pas à enlever, et la blessure au genou, reçue à Vimy, continuait à le faire souffrir même si elle paraissait parfaitement cicatrisée. Cette double mort parmi les siens l'atterra complètement. Prenant prétexte de la période des Fêtes et en sa qualité de chef de la famille, il ferma temporairement la clinique afin de se donner du temps pour voir clair et envisager l'avenir. Ce qu'il fit, ou ne fit pas, dans les semaines qui suivirent resta un mystère pour la famille.

On le vit s'enfermer des heures entières dans sa chambre sous les combles qu'il martelait de son pas militaire. Parfois, au début de la soirée, il disparaissait sans dîner pour aller on ne sut jamais où et rentrait très tard dans la soirée, un peu ivre, mais toujours droit sur ses

125

jambes, le regard absent. Pour un temps la famille respecta son silence qu'elle attribua autant aux événements récents qu'à ses années de guerre sur lesquelles au surplus il n'avait pas encore dit mot à personne. Son jeune frère Claude tenta à plusieurs reprises de le questionner sur ses projets d'avenir mais Moïse lui répétait inlassablement: «Plus tard.» Les oncles s'inquiétèrent de son mutisme prolongé et, à la demande de sa mère qui se remettait de sa maladie, entreprirent de lui parler, histoire d'avoir une conversation d'homme à homme. Il les écouta poliment, un mince sourire aux lèvres, puis, sur un ton qui n'appelait pas de réplique, indiqua qu'il n'avait rien à leur dire, qu'il voulait qu'on le laissât tranquille pour le moment, ayant encore besoin de réfléchir.

Février, avec ses froids coupants, ses vents sifflants, ses rafales tourmentées de neige mousseuse et crissante, venait de commencer quand un jour, après une semaine où il avait semblé rentrer encore plus en lui-même, il convoqua un conseil de famille. C'était le dimanche précédant le commencement du Carême. Plus tôt dans la journée, il avait pris le déjeuner en compagnie de sa mère qui avait remarqué un changement d'attitude chez son fils. Elle l'avait même vu rire pendant qu'il lui racontait sur un ton détaché quelques expériences de sa vie là-bas. Elle comprit à ce moment qu'il avait gagné «sa» guerre. Aussi ne fut-elle pas surprise outre mesure de la décision de son fils de réunir la famille.

À l'heure dite, dans le haut salon blanc, lambrissé sur sa partie inférieure d'une boiserie en chêne blanc sur laquelle les bûches incandescentes de l'âtre projetaient des touches de lumière écarlate, la tribu des Burgaud au grand complet était au rendez-vous, car les oncles et les tantes, avertis par Mme Burgaud, étaient aussi accourus. Leur arrivée déplut à Moïse qui aurait préféré une réunion plus intime, mais il ne laissa pas percer son mécontentement. Afin de réchauffer les nouveaux arrivants, figés sur leur fauteuil et encore sous l'effet du froid humide qui les avait transpercés jusqu'aux os, et de mettre tout ce monde de bonne humeur, Moïse demanda à la bonne de servir du gin chaud coupé de citron. On ne fut pas long à remarquer le changement qui s'était opéré chez ce dernier. Pendant que les oncles, enchantés de renouer des liens avec un neveu qui les avait si poliment envoyés paître, quelques semaines auparavant, l'observaient d'un œil amusé en fumant leurs cigares, les tantes, elles, tournaient autour de lui, cherchaient à capter son attention et le félicitaient de sa bonne mine. De fait, ce n'était plus le même homme. Son enveloppe d'officier sévère, au geste brusque, prompt à lancer des ordres, avait fondu pour céder la place à un être moins compassé, au regard viril mais compréhensif, à la parole directe mais attentive, d'où émanaient, par un heureux alliage, l'indulgence du grand-père et la rigueur de son père. Ses longues marches matinales dans les rues peu fréquentées de l'ouest de la ville, battues par les vents du nord-est et recouvertes de chaque côté, entre le trottoir et le milieu de la chaussée, d'amoncellements successifs de neige poudreuse, aux cristaux opalins, sur laquelle dansaient les clairs rayons du soleil de janvier, avaient redonné de la vie à son corps, et surtout de la couleur à son visage qui n'avait connu, pendant les années de guerre, que l'éclairage tremblotant des hôpitaux de campagne et la lumière asphyxiée des tranchées.

Le gin chaud déliait les langues et animait les esprits. Durant une bonne demi-heure, la conversation de déploya sur plusieurs octaves : aiguës, et presque claironnantes, si elle portait sur des généralités dites sur un ton gouailleur pour impressionner la compagnie ; voilées et volatiles quand les femmes, s'écartant temporairement du groupe, se décochaient des pointes à loisir ou s'entretenaient avec le plus grand sérieux de choses on ne peut plus frivoles ; à la fois graves et grasses avec les hommes, lesquels s'étaient finalement déplacés vers le fumoir attenant pour pontifier sur la reprise économique attendue ou sur la perte des valeurs morales, entre des histoires grivoises et des plaisanteries scatologiques.

Moïse surveillait la scène avec nervosité sans parvenir à rester en place. À plusieurs reprises, il tira sa montre du gousset de son gilet, ou tendit l'oreille vers la porte d'entrée. Bien qu'il eût aimé reprendre du gin, il s'en abstint afin de rester parfaitement maître de lui. Quand la pendule sur le manteau du foyer sonna neuf heures, il s'avança au milieu du salon et, d'une voix forte, invita tout le monde à s'asseoir. Son appel fut d'autant mieux reçu que la conversation commençait à languir et que d'aucuns manifestaient des signes d'impatience.

« Vas-y, mon Moïse », lança l'oncle Aimé qui, par suite d'habiles manœuvres auprès de la bonne, venait de se faire apporter un quatrième verre de gin, cette fois sans jus de citron. Moïse eut un bref sourire et ne répondit pas. Après s'être reculé pour mieux voir son assistance, il commença à parler au milieu d'un silence général.

« Je voudrais être bref, mais je ne pense pas pouvoir y réussir. Ce que j'ai à vous dire est d'une extrême importance pour moi d'abord, pour ma famille ensuite, dont je suis désormais le chef, et pour vous tous, mes oncles et mes tantes. »

Mme Burgaud, qui s'était assise dans une bergère, se raidit en fixant attentivement son fils. Moïse la vit et lui adressa un regard affectueux.

« . . . Laissez-moi vous rassurer dès maintenant, continua-t-il, rien dans mes propos n'est tragique. Au contraire. . . »

Un soupir général de soulagement s'échappa de l'assistance. Tante Ernestine, son face-à-main en l'air, laissa tomber un « Ah bon ! » qui fit s'esclaffer Claude, assis en tailleur au milieu du salon.

« . . . au contraire, reprit-il d'une voix timbrée, quand vous aurez entendu mes explications, que vous connaîtrez les raisons motivant les décisions que j'ai à vous communiquer, vous me comprendrez. Permettez-moi d'abord de revenir en arrière. Rappelez-vous les circonstances de mon départ pour la guerre. Quand je décidai de m'engager dans le corps médical de l'armée canadienne pour service outre-mer, vous vous étiez tous demandés pourquoi j'agissais ainsi. Ma petite maman, vous ne pouviez pas vous faire à l'idée que je puisse interrompre ma carrière commençante.

Pensez aussi au désir de papa, et sa voix s'engorgea, de m'envoyer à Paris afin que je pusse me spécialiser dans les maladies du poumon. Je ne dis pas à papa dans le temps, pour ne pas le blesser, que l'idée ne me souriait guère. La perspective de vivre dans la Ville lumière pendant deux ans avait, bien sûr, de quoi séduire le jeune homme encore instable que j'étais, mais je me rendais compte qu'il me faudrait travailler très dur, ce dont je ne me croyais pas encore capable à l'époque. De plus, et c'était là peut-être le fondement de mon hésitation, je ne pensais pas, ou tout le moins je n'étais pas convaincu, que je devais me spécialiser dans une branche de la médecine. Pendant que je ruminais cette question dans ma tête, la guerre éclata en Europe et, sur les instances de la Grande-Bretagne, notre pays décidait de soutenir l'Empire en danger et d'expédier des troupes sur le front européen. Voilà que j'appris qu'on recrutait des médecins. Sans en parler à personne, j'allai m'engager à l'Arsenal du 65ᵉ régiment sur l'avenue des Pins. Pourquoi décidai-je finalement de franchir ce pas décisif ? Rien de plus simple, du moins est-ce ainsi que l'affaire m'apparut alors. Mon engagement me sortait du dilemme devant lequel je me trouvais. Il me permettait de contourner la volonté de papa en m'évitant, du même coup, d'avoir à lui opposer un refus net, geste auquel il m'aurait bien fallu en arriver un jour mais que je retardais tant je savais, en raison des grandes espérances qu'il avait placées en moi, combien il serait déçu. J'éprouvais aussi le besoin de sortir de mon milieu pour un temps, de voyager afin d'élargir mes horizons, bref, de voler de mes propres ailes avant de m'installer pour de bon. La guerre m'offrait tout cela. Lorsque je mis papa au courant de ma décision, il ne put que s'incliner, attribuant à un patriotisme qu'il ne me connaissait pas, une démarche aussi lourde de conséquences à laquelle d'ailleurs, à cause précisément de ses propres convictions libérales, il lui eut été inconvenant de s'en prendre. Mais il ne fut pas dupe de mon manège. À mon départ pour l'Europe, il fit quelques pas avec moi sur l'embarcadère du port de Québec, et, en me serrant la main avant que je ne montasse à bord du paquebot, il me dit avec des yeux malicieux : « Tu sais, Moïse, tu as peut-être raison. La guerre t'apprendra plus sur les limites de la médecine et sur sa noblesse que deux années de spécialisation à Paris. »

« Croyez bien que je n'ai jamais regretté ma décision. L'intérêt personnel qui m'avait poussé à l'origine céda bientôt la place à des sentiments plus profonds. Il m'a suffi de quelques semaines sur le front pour comprendre le sens caché, la portée réelle de mon engagement. Certes, mes premières expériences sur le champ de bataille ne furent pas faciles. Après avoir observé, derrière ma lunette d'approche, le déchaînement des forces ennemies et la férocité de leurs attaques et entendu, jusqu'à en perdre l'ouïe, le bourdonnement sourd des canons et le ruissellement acéré des balles, j'ai vite conclu que la guerre n'était pas une escapade pour carabins blasés. En courant dans les galeries des tranchées pour prodiguer les premiers soins aux blessés ou pour recueillir les dernières paroles d'un mourant, en voyant le courage des nôtres face à l'avance allemande sur le front belge et admirant leur résistance en

131

dépit des gaz asphyxiants, en savourant surtout le fruit de leur magnifique victoire à Ypres, je compris alors que des notions encore abstraites pour moi, telles que la fraternité des armes, la solidarité de groupe et l'amour de la patrie, n'étaient pas de simples figures de rhétorique ni de pures fictions de l'esprit. Très tôt du reste, je commençai à faire cause commune avec nos soldats et à percevoir le véritable enjeu de la guerre, oubliant, comme un mauvais souvenir, les raisons égoïstes qui m'avaient conduit là.

— Bravo! Moïse!» crièrent à l'unisson les trois oncles, fervents admirateurs de Laurier et farouches adversaires de Bourassa. Moïse sourit légèrement et les salua.

«Merci, mes chers oncles. Je vais vous épargner le récit de mes mille petites misères, des souffrances morales et physiques que j'ai endurées, des sentiments d'ennui et de solitude qui m'étreignaient quand régnaient sur le champ de bataille des moments d'accalmie, de l'immense terreur qui blanchissait nos corps épuisés lorsque, des lignes ennemies, roulaient vers nous, telle la lave d'un volcan déchaîné, des nuages de poudre et de grenaille, ou que couraient des traînées de feu et de gaz qui s'introduisaient dans tous les interstices de nos abris, et venaient ensuite nous étouffer et nous brûler dans un encerclement dantesque et inimaginable. Mais ces visions de l'enfer, pour horribles qu'elles fussent et puissent vous apparaître maintenant, disparaissaient de mon esprit à côté de mon exaspération, de mon impuissance devant les blessés que ne cessaient d'amener les brancardiers, dont je savais que beaucoup ne s'en sortiraient pas ou qu'ils resteraient impotents leur vie durant. Le désespoir que me renvoyaient leurs yeux éteints, les spasmes qui secouaient leurs corps, leurs souffrances inexprimées, hantaient les quelques heures de sommeil que je dérobais, me semblait-il, à mes obligations envers eux. . . »

Les mains agrippant le coussin de son fauteuil, Mme Burgaud sondait son fils en pleurant discrètement, tandis que Claude, cloué sur place, cachait mal les ravages que produisait sur lui le récit de son grand frère.

« . . . Dans ces périodes, je prenais conscience de la grandeur de ma profession, j'en mesurais les terribles exigences et les lourdes responsabilités, et je me reprochais mes fredaines de jeunesse, toutes ces journées perdues que j'aurais pu consacrer à étendre le champ de mes connaissances médicales et à démêler les voies obscures et enchevêtrées de la maladie. Car la guerre pour moi, ce ne fut pas de surveiller derrière un buisson les gestes de l'ennemi ni de faire la sentinelle dans une tranchée détrempée. Non, la guerre pour moi, ce fut de coudre, à la hâte, une poitrine déchirée par un éclat d'obus, en priant Dieu de faire le reste ; ce fut de provoquer des coagulations forcées sur des plaies fraîches par des applications répétées de teinture d'iode, en faisant semblant de ne pas entendre les hurlements de douleur engendrés par un traitement aussi sommaire ; ce fut — et c'est terrible ! — d'amputer à froid, qui d'une jambe, qui d'un bras, des soldats à peine sortis de leur jeunesse, encore sous le coup des combats dont leurs blessures venaient de les arracher brusquement, et en proie à de tels tourments qu'ils me remerciaient de les en soulager, encore dans l'ignorance du lourd prix qu'ils auraient à payer...»

Sa voix faiblit, et l'assistance, au bord des larmes, sentit l'émotion qui transsudait de sa placidité d'officier.

«... Voilà des moments qui ne s'oublient pas. Voilà des expériences qui creusent des ornières dans le destin d'une vie et qui l'empêchent de s'en écarter par la suite. Rassurez-vous, vous ne devez pas en conclure que je vais demander mon rattachement à l'armée permanente. Ce n'est pas du tout mon intention. Je serai bientôt démobilisé et je me propose de retourner à la pratique privée...»

L'atmosphère se détendit. Un souffle libérateur, pareil à une pluie de juillet après une journée torride, traversa l'assemblée; des murmures montèrent, tout un chacun échangeant ses impressions avec son voisin. Mais Moïse, après avoir pris une gorgée d'eau, coupa court à cette pause en reprenant son récit d'une voix ferme.

«Je n'ai pas encore terminé. Je reprends ma pratique privée mais pas ici à Montréal. J'ai déjà dit à maman que je mets la clinique en vente. Je me sens incapable de continuer l'œuvre de papa. Je ne suis pas et je n'ai pas l'intention de devenir un spécialiste des maladies du poumon comme l'avait tant souhaité papa. Je ne suis pas non plus intéressé à prodiguer mes soins à une clientèle choisie qui possède les moyens de se payer les meilleurs médecins. Une fois la clinique vendue, ce qui ne saurait tarder, je vais m'installer dans une petite ville perdue des Laurentides, un gros village de bûcherons fondé dans le sillon du curé Labelle, je veux dire Val-des-Ormes. Après des années à respirer l'air vicié et empoisonné des champs de bataille, après avoir vu de près les hécatombes de la guerre, je dois me retremper dans la vraie nature et organiser ma vie dans un cadre simple où le grondement des canons n'éteint pas le gazouillement des oiseaux ; où des jets de flammes n'assèchent pas la rosée du matin et ne roussissent pas prématurément les fougères ; où les collines herbeuses, mitonnées par le soleil de juin, sur lesquelles, jeunes, nous nous laissions rouler, sont porteuses de pousses nouvelles, non de mines à retardement ; où les bouleaux, si frêles, si souvent décapités par le vent, sur l'écorce blanche desquels la branche perdue ou coupée laisse un œil totémique, ne sont pas écrasés brusquement par des tanks emportés vers leur destin destructeur. »

« Quel poète il ferait, murmura une des tantes à son mari. — Je le verrais plutôt comme politicien, répliqua celui-ci. Tous les politiciens sont poètes. Pense à Laurier. . . »

« Ces longs mois passés à opérer, tant dans des hôpitaux de campagne que dans des trains sanitaires, dans des conditions hélas ! trop souvent rudimentaires, ou à sauter dans les tranchées pendant des accalmies pour secourir les blessés, s'ils m'ont appris plus sur la médecine que des années de spécialisation, m'ont fait comprendre une chose tout aussi importante, soit que je ne pourrais jamais devenir un médecin de salon qui dispense sa science dans un cabinet privé, amidonné, reluisant de propreté. Je ne m'imagine pas consacrant mes journées à recevoir les dames de la haute société pour qu'elles m'entretiennent de leur migraine ou me décrivent en long et en large leurs maux imaginaires. Je veux soigner de vrais malades et partager mon bagage de connaissances médicales avec des gens qui en ont besoin. Val-des-Ormes, avec une population de cinq mille âmes, n'a qu'un seul médecin. Je serai plus utile à cet endroit qu'à Montréal. La guerre m'a enseigné à me satisfaire de peu et à faire des miracles avec un rien. . . »

Depuis un moment, une silhouette s'était profilée dans le chambranle de la porte du salon à l'insu de l'assistance, suspendue aux lèvres de Moïse. Mais celui-ci l'ayant aperçue, sa voix se fit plus douce, plus émue.

« . . . Il me reste encore une autre nouvelle à vous annoncer. Je n'irai pas m'établir seul à Val-des-Ormes. Ma chère maman, chères tantes et chers oncles, j'ai le plaisir de vous présenter ma fiancée. Nous nous marierons en juin quand je serai bien installé à Val-des-Ormes. »

Moïse, feignant d'ignorer la surprise qu'il venait de causer, alla vers la jeune fille, elle-même très rouge et toute paralysée, lui prit la main affectueusement et l'attira vers sa mère.

« Maman, dit-il, je vous présente Alice Moisan. Elle n'a pas fait la guerre mais elle sait ce que c'est, car elle y a perdu son père et son seul frère. Je leur ai fermé les yeux le même jour près d'Ypres. Sur leur lit de mort, ils m'ont fait promettre tous les deux de venir, à mon retour à Montréal, raconter à Alice leurs derniers moments. Je l'ai fait, vous savez maintenant la suite. »

« Eh bien ! souffla un des oncles à sa femme, les temps ont changé ! M'aurais-tu vu faire cela à ma mère ? »

12

Répercuté par un coup de vent, le vrombissement d'un moteur sur les eaux paisibles de la baie réveilla Anne en sursaut. Perdue, hésitante, les vives brûlures qu'elle ressentit sur la poitrine et les cuisses lui firent reprendre ses sens. Des sueurs ruisselaient de son corps amorti par le soleil. L'idée d'une nouvelle baignade lui traversa l'esprit mais, n'ayant nulle envie de remouiller ses vêtements, elle reboutonna son chemisier et enfila sa jupe. Après, elle s'assit sur le rebord du rocher et laissa pendre ses jambes dans l'eau. Dans cette nouvelle position, l'ombre du vieil orme tombait obliquement sur elle : la brise, qui câlinait son feuillage, apporta une note de fraîcheur. Quant au bateau, il avait déjà franchi le détroit entre la baie et le lac, le bruit de son propulseur n'étant plus qu'un murmure décroissant.

Des sensations d'un autre ordre assaillirent Anne. Maintenant qu'elle échappait au flamboiement direct du soleil, l'effet des brûlures sur elle s'atténuait mais, chose singulière, la chaleur cuisante qu'elles engendraient se répandait à l'intérieur de son corps, de sorte que son épiderme, vidé petit à petit du feu qui le consumait, se transforma bientôt en isolant qui retenait sa précieuse prise et la protégeait contre les assauts de l'extérieur. Simultanément, l'eau anesthésiait la peau de ses jambes, même aux endroits les plus brûlés.

Tout son être éprouva d'abord une impression tactile de bien-être corporel, ensuite, un sentiment profond de plénitude physique dont la possession, si éphémère, expliquait la puissante attraction de l'eau pour Anne, la fascination qu'elle avait toujours exercée sur elle depuis son enfance. Dans ses rêveries d'adolescente, elle aimait se dire fille de l'eau ; la fragilité d'une gouttelette de pluie dans le creux de la main, la pureté de la source se frayant un chemin dans le sous-bois avec un ronronnement de satisfaction l'émerveillaient, comme ne cessaient de la surprendre la fierté d'un « glaçon » suspendu à une gouttière par un temps doux de l'hiver et la beauté majestueuse de l'eau d'une chute en furie, luttant courageusement contre les effets de son abrupte dégringolade, se tordant, puis se gonflant, puis se morcelant en projetant ses embruns avant de se ressouder et de reprendre avec dignité son cheminement régulier. Les propriétés de l'eau, élevées au rang de vertus, Anne se les appropriait ; elles devenaient des traits de son caractère, voire des qualités qu'il lui fallait acquérir parce qu'elles correspondaient à ce modèle de jeune fille vers lequel tendaient ses aspirations les plus secrètes.

Mais l'eau pour Anne, c'était plus que cela : l'eau, c'était la vie. Lorsque ça n'avait pas tourné rond pendant la journée, soit qu'une compagne eût été méchante à son endroit ou qu'une religieuse lui eût passé une remarque qu'elle avait jugée injuste, elle aimait avant le coucher, à l'heure des ablutions, tremper dans l'eau froide son visage blanchi de rage refoulée, meurtri par la peine, masser vigoureusement avec ses mains mouillées son cou, sa nuque, le haut de ses épaules. La rudesse du contact sur sa peau soyeuse la détendait instantanément ; la vie, pareille à une sève en pleine montée, bouillait de nouveau dans ses artères, et ses couleurs revenaient. Malgré les quolibets de ses voisines de lavabo qui jugeaient immodéré et inutile ce genre d'immersion, parce qu'elles ne se passaient qu'une serviette mouillée sur la figure, elle prolongeait son plaisir et recommençait l'opération plusieurs fois de suite. Il arrivait néanmoins qu'on lui jouait de mauvais tours : pendant que l'une d'entre elles retirait brusquement le bouchon de caoutchouc qui retenait l'eau, une autre lui prenait la nuque afin qu'Anne fût dans l'impossibilité de se redresser, de sorte que le bassin, au bout de quelques secondes, s'étant vidé, la tête de la malheureuse pendait dans le vide, dans une position hautement ridicule qui soulevait un remous de rires moqueurs des deux côtés du bloc des lavabos. Régénérée, purifiée, lavée des flétrissures de la journée, Anne se joignait de bon cœur à la gaieté générale et lorsque la surveillante, attirée par tout ce bruit et flairant sans doute un désordre auquel il lui faudrait mettre fin promptement, s'amenait sur les lieux, elle n'avait devant elle que des adolescentes sages qui se permettaient quelques moments de saine récréation. Dépitée, nul ne pouvant savoir si c'était pour n'avoir pas à sévir ou pour avoir été dérangée pour rien, elle lançait pour la forme un «Allons, mes enfants, un peu plus de tenue!», avant de retourner à sa chambre au fond du dortoir. Se pinçant pour freiner leur rire, elles répondaient en chœur: «Oui, ma sœur.»

Les tours dont Anne était l'objet plus ou moins consentant n'étaient pas toujours aussi puérils, anodins et amusants. Il en était un en particulier qui lui laissait un goût amer de la vie en ce qu'il évoquait par son côté méchant et gratuit la subtile cruauté et l'hypocrisie douce-reuse qui, en certaines circonstances, gouvernent les relations des jeunes filles entre elles. La conscience droite et l'âme pure d'Anne en sortaient toujours profondément blessées. Il était heureux pour elle, — elle s'en réjouissait d'ailleurs, — que le jeu en question ne pouvait être pratiqué qu'en de très rares occasions, car il exigeait l'absence prolongée et fortuite de la religieuse chargée de la surveillance du dortoir. Comme il n'y avait pas assez de lavabos pour que les filles pussent toutes se laver en même temps, les plus grandes, auxquelles la beauté précoce et éthérée d'Anne portait ombrage et qui lui enviaient les petits luxes, les petits privilèges que lui procurait l'aisance de ses parents, si elles s'apercevaient en arrivant au dortoir que la surveillante n'y était pas encore, se concertaient rapidement et couraient occuper toutes les places qu'elles ne se décidaient à tour de rôle à céder qu'après qu'elles eussent délibérémment prolongé leurs soins de toilette, et qu'elles se fussent assurées en plus que l'espace vacant n'irait pas à leur victime favorite. Il en résultait qu'Anne était la dernière à s'installer devant un lavabo pour procéder à sa toilette de

142

nuit, si toutefois elle le pouvait car au moment où elle allait commencer, la période prévue à cette fin s'achevait et la surveillante, revenue depuis peu, annonçait l'heure du coucher. Là-dessus, elle était impitoyable et n'acceptait aucune tolérance.

Humiliée dans sa fierté, écorchée dans sa sensibilité à fleur de peau, Anne retournait à son lit sous les regards satisfaits et railleurs de ses tortionnaires. Heureusement qu'elle voyait pointer, ici et là, la brave expression de sympathie de ses compagnes plus jeunes, qui condamnaient une telle méchanceté. Tout n'était pas perdu du reste. Quand la surveillante avait terminé sa ronde et regagné sa chambre, et que tout ce jeune monde paraissait dormir profondément, Anne, encore secouée et incapable de goûter aux joies du sommeil et de l'oubli, se levait et se coulait entre les lits jusqu'à un lavabo. Tournant délicatement le robinet, elle mouillait sa serviette, puis la pressait sur son visage défait, son cou, sa gorge. Avec ses mains, elle massait généreusement ses bras avec de l'eau.

En hiver, quand le robinet avait coulé un bon moment, l'eau, glacée et dure comme de l'eau de roche, semblait jaillir d'une source abyssale, très loin, derrière les collines au pied desquelles le couvent et ses bâtisses attenantes se pelotonnaient. Dans son périlleux voyage pour arriver jusqu'au dortoir, elle agglutinait et intégrait au passage les odeurs des obstacles qu'elle franchissait, des éléments qu'elle frôlait : les roches capuchonnées de neige entre les fissures desquelles elle s'insinuait, et d'où s'exhalaient des vapeurs de cave humide ; les sapins trapus, alourdis et serrés les uns contre les autres qui, attirés par son chuchotement continu, lorgnaient de son côté et lui répondaient en l'aspergeant de leur souffle amer et piquant ; le lit du ruisseau qui la portait, dont les riches dépôts sédimentaires la sustentaient dans son long trajet et retenaient ses impuretés. Ces senteurs, Anne les recevait mélangées, digérées, filtrées quand, enfin rendu à destination, le précieux liquide qui, sous la veilleuse du dortoir, jetait mille reflets, coulait sous le robinet ; narines déployées, elle humait sa bonne odeur de pierre, de résine et de glace. Le petit bruit sourd qu'il faisait en heurtant la paroi du lavabo rappelait à Anne le déchaînement violent de l'eau au bas d'une chute. L'eau était sève, source de vie, onguent régénérateur, élixir indispensable. Plus l'écart de température entre l'eau et son épiderme était prononcé, plus elle aimait la rencontre entre les deux : il y avait dans le processus un élément de brutalité et de surprise qui la comblait, violentait ses sens, et surtout, tel un catalyseur, faisait éclater sa tension nerveuse.

Et maintenant, en ce matin de juin où la luminosité du ciel semblait intensifier la sonorité de l'air, Anne pouvait renouer le contact avec l'eau dans son milieu naturel, reposant entre des berges qui contenaient son dynamisme, sous le regard ombrageux et ombreux d'arbres et de plantes de toute espèce dont la croissance dépendait de sa générosité, et nourrissant dans son sein une faune et une flore aquatiques totalement assujetties à ses caprices. Dans ce cadre sauvage qu'elle dominait, où son règne était absolu, l'eau, finalement délivrée surtout des systèmes de canalisation qui entravaient son exubérance et lui imposaient une discipline artificielle et cruelle, symbolisait l'abondance et la joie de vivre avec une séduction si invitante et si irrésistible que le soleil, pour ne pas être en reste, se mirait sur sa surface et, suprême hommage, l'arrosait d'une pluie d'or. Que cette eau nonchalante et prodigue, caressée voluptueusement par la brise, s'écartait de l'eau dure et impitoyable du dortoir, dispensant sa sève sous le robinet avec tant de parcimonie!

Une nouvelle fois, Anne s'émerveilla des multiples facettes de l'eau, de son insaisissable caractère. Avec quelle facilité épouse-t-elle les saisons et en exprime-t-elle les traits essentiels : omniprésente à l'automne quand la nudité des arbres dévoile ses replis cachés mais en même temps si rébarbative et opaque à cause des vents qui la martèlent sans cesse, elle se déguise en hiver sous un manteau de glace et de neige et, soupçonneuse et fière, cherche refuge au fond des lacs et des rivières où elle ronge son frein jusqu'au printemps, alors que dans un esprit de revanche, elle éclate, rompt ses chaînes, procède à sa propre régénération par des pluies, des grêles entremêlées de verglas qui ravagent les bosquets et courbent les rameaux jusqu'au sol.

Avec l'arrivée de l'été, l'eau reprend sa liberté et s'abandonne au bon plaisir de son entourage; elle s'étire dans les étangs et se love dans le creux des galets. Rendue à elle-même, tendre et féconde, elle participe à l'allégresse générale et ouvre toutes grandes ses entrailles. Sa joie est communicative, sa prodigalité irrésistible. La nature tout entière succombe à ses charmes.

Pour prolonger le plaisir retrouvé, l'amener à son paroxysme, Anne plongea avidement ses mains dans l'eau et massa lentement ses cuisses le long desquelles elle ressentait encore un léger picotement. Avec ses paumes juxtaposées en forme de coupe, elle puisa de l'eau qu'elle laissa ensuite couler sur ses jambes en radicelles d'argent qui, passées les chevilles, s'épandaient dans toutes les directions avant de retourner à leur lieu d'origine.

Des vairons, gris et reluisants, rôdaient autour de ses pieds, flairant un appât insolite, nouveau. Tantôt ils s'immobilisaient en rangs parallèles dans une attitude d'attente muette, à une distance respectueuse de leur proie, tantôt, comme saisis par l'inanité et l'énormité de leur tâche, ils se ravisaient et s'éloignaient de quelques pieds en battant des nageoires. Naguère encore Anne se serait laissée prendre à leur manège et aurait tenté d'en attraper un avec la main. Mais ce qui, à cet instant, attira surtout son attention, ce fut moins leur étonnante agilité que la grâce, la suprême assurance qui l'enveloppaient. Sur la patine diaprée, métallique de leurs flancs, à travers le voile, zébré de lignes grises, de leurs nageoires et jusque dans l'éclat vitré de leurs yeux ronds, fixes, en saillie, Anne eut l'impression de découvrir le secret de l'eau, l'espèce d'aura de vie dont elle parait les êtres qui se fondaient en elle, la coloration qu'ils en recevaient, la douceur et la transparence qu'elle semblait leur communiquer.

«Que ne confère-t-elle sa nimbe de bonté et de générosité à Mathieu ? que ne distille-t-elle sa limpidité dans les yeux indifférents de

Muriel ? » se dit-elle, tout en continuant de fixer sans les voir les petits poissons que ses réflexions laissaient parfaitement indifférents.

Anticipant sur les beaux jours de soleil qu'annonçait, à proximité, le cri aigu d'un colibri, immobile et indécis devant une touffe de chardon lancéolé, sa pensée évoqua, avant d'en créer de nouvelles, ces images de l'été dont l'eau formait la trame, qu'elle appelait désespérément dans ses rêveries nocturnes au pensionnat et qui, ressuscitées, l'aidaient à oublier les peines quotidiennes et colmataient les plaies de son âme. « Quoi de plus virginal, murmura-t-elle, que l'eau cristalline, d'une sonorité caverneuse, ruisselant, par un bel après-midi de l'été, de la crevasse d'un rocher ? Qui peut rester indifférent devant la noblesse apaisante d'un lac au crépuscule, la tendresse intime d'un ruisseau, la fécondité éternelle d'une rivière ? Quel tableau égale en sérénité et en quiétude celui de ces eaux somnolentes et poudrées sur lesquelles s'éveille, dans la lumière tamisée de l'aube, une famille de nymphéas ? »

Des cris étouffés, entremêlés de rires francs et d'exclamations de surprise joyeuse, montèrent de la plage. Anne sursauta et tendit l'oreille, en allongeant son cou de biche. Son beau visage déjà rougi par le soleil s'illumina d'un sourire. Mais elle résista à la séduction qu'exerçait la présence à proximité de ses amis de l'été. Après avoir été isolée d'eux depuis un an, elle n'éprouvait aucune envie pressante d'aller les rejoindre et de réintégrer son monde de vacances. La vie neuve fusant en elle, l'engourdissement s'emparant de ses jambes, l'éblouissement du soleil devant ses yeux à demi-clos, et le sortilège de la grande nature l'enveloppant totalement, au lieu qu'ils l'incitassent à courir partager avec les autres les agréments de la plage, semblaient plutôt se conjuguer pour l'y en détourner encore un peu et, du même coup, élever son esprit à un niveau d'attention tout intérieure, là où elle ne pourrait taire ses soucis. Ce n'était donc plus son corps que la lumière hachait de ses morsures, ce n'étaient plus les attraits ambiants qu'elle démasquait et éclairait, mais les hésitations et les interrogations de son cœur.

Chaque retour au foyer ravivait chez elle la mémoire de préoccupations antérieures, liées à celui-ci, le rappel des petites crises et des légères désillusions qui fatalement l'attendaient. À cet égard, le bilan des dernières vingt-quatre heures la désolait. Elle était convaincue d'avoir manqué son retour. Tout avait mal marché. Muriel sur qui elle comptait lui avait fait faux bond, et sa mère, placide, candide et passive comme toujours, n'avait pu lire les signes de l'angoisse dans son regard fuyant. Quant à son père, elle ne l'avait entrevu que quelques minutes au petit déjeuner avant qu'il ne sautât dans sa voiture pour rentrer à Val-des-Ormes. Mathieu, lui, mieux valait l'oublier car il lui aurait ri au nez si d'aventure elle avait essayé de l'entretenir de ses états d'âme. « Mais dis donc, qu'est-ce qui t'arrive ? Ce sont les sœurs qui t'ont tourné la tête comme ça ? lui aurait-il lancé avec un rictus sardonique. Fiche-moi la paix avec tes idioties de couventine. »

Elle savait pas expérience qu'il ne pourrait jamais la comprendre, et elle en était vivement chagrinée. Sa plus grande déception en arrivant

148

à un âge où les filles souhaitent établir des rapports de confiance et d'amitié avec leurs frères était de constater que Mathieu se refusait à tout dialogue intelligent avec elle. Qu'il aurait été doux de pouvoir s'appuyer sur lui, de lui demander des conseils sur l'attitude à adopter avec les garçons, de lui communiquer ses aspirations et d'entendre les siennes, et d'échanger leurs impressions sur leurs parents. Il y avait eu Muriel naguère, qui recevait volontiers ses confidences, mais son attitude d'hier lui avait laissé un goût amer. Muriel, déjà fiancée, était sortie du giron de la famille et ne voulait plus en partager les conflits internes, les déceptions et les mesquineries. Anne sentait qu'elle ne pourrait plus compter désormais sur sa grande sœur dont la vie était ailleurs, devant elle, dans le foyer qu'elle fonderait bientôt avec son futur mari. Dans de telles circonstances, les problèmes de croissance de sa jeune sœur devenaient le moindre de ses soucis.

« Que je voudrais avoir son âge, se dit Anne, c'est si ennuyeux d'être jeune, de dépendre des grandes personnes. Elles veulent que l'on accepte leurs humeurs mais elles ne tolèrent guère nos caprices. On ne nous prend jamais au sérieux. Parce que nous sommes jeunes, on nous croit bêtes et indignes d'attention. » Et dans ces moments, Anne sombrait dans la mélancolie et se prenait à détester ses parents. « J'envie Jouve. Son père n'est pas toujours gai, il est même souvent d'humeur à faire peur mais au moins il est juste, et son autorité n'est pas discutée. Les enfants savent à quoi s'en tenir. Jouve n'a que de l'admiration pour sa mère. Elle semble si pleine de sollicitude et si soucieuse du bien-être et de la conduite de

toute sa famille. Tout le contraire de mes parents : père boit de plus en plus et nous fait tous
honte, tandis que mère calme nos inquiétudes
par des gâteries et élude nos questions. Jamais
un mot de reproche, jamais un refus à nos désirs les plus fous. Que j'aimerais qu'elle me
dise non parfois ! »

Le soleil lui brûlait la peau. Elle s'aspergea
d'eau généreusement, voluptueusement. Ça lui
fit l'effet d'un calmant. Parmi les clameurs qui
lui parvenaient de la plage, elle reconnut la
voix de Jouve. « Que je suis stupide, se dit-elle,
Jouve est là, lui », et ramassant ses effets, elle
courut au chalet pour passer son maillot de
bain.

13

L'inquiétude d'Angélie était fondée : à
peine Mathieu, attiré par les clameurs, eut-il
surgi au milieu du groupe qu'une certaine nervosité gagna les plus jeunes. Adeline et Sylvaine qui connaissaient sa rudesse s'écartèrent
pour laisser la place aux enfants des chalets
voisins, cependant qu'Isabelle, ébranlée par un
plongeon un peu brusque administré par son
frère, commença à pleurnicher et alla se placer
sous la protection d'Angélie.

Jouve, de son côté, s'était esquivé, trop
heureux de céder le terrain à Mathieu, d'autant
plus que ses deux baigneuses semblaient revenir de leur escapade au milieu de la baie. Pour
calmer son impatience, il nagea vers l'espèce
de radeau, amarré au large à un pieu, qui servait de tremplin aux grands. Le soleil, tel un
charbon chauffé à blanc, émaillait la surface de
l'eau de ses éclats de quartz. Une alouette, es-
seulée, grisollait sur son perchoir imaginaire
au-dessus du radeau. Elle s'envola vers la rive à
l'arrivée de Jouve. Pour ne pas montrer à ses

nageuses dont l'identité, malgré qu'elles se rapprochassent, lui échappait encore, qu'il les attendait, Jouve se composa une mine affairée dès qu'il se fut hissé sur la plate-forme. Sans perdre un seul instant, il exécuta un plongeon vif et musclé et revint à toute vitesse à son point de départ, puis, l'air préoccupé, il entreprit successivement de vérifier la stabilité du radeau avec force dandinements d'un coin à l'autre, de tester l'élasticité du plongeoir et d'éprouver la solidité du mécanisme de fixation. Cette activité, qui l'occupa durant quelques minutes, lui parut concluante, puisque, satisfait, il alla s'asseoir sur le rebord du radeau, les jambes pendantes, et laissa le souvenir d'Anne l'envahir tout doucement comme un rayon de soleil printanier. Maintenant que, selon toute vraisemblance, le moment fatidique approchait, un sentiment de panique le saisit qui fut de courte durée, car, brusquement, deux mains agrippèrent ses pieds, et il se sentit tiré vers le fond.

Quand il revint à la surface, Louise et Monique, debout sur le radeau qu'elles arrosaient abondamment avec l'eau dégoulinant de leur corps, s'amusaient follement de sa déconvenue. Son premier mouvement en fut un de colère sourde : il avait les narines obstruées et le souffle court tant la chute avait été inattendue et rapide. Mais en reconnaissant Monique, à la présence de laquelle il ne s'attendait pas, il fut humilié et eût voulu se trouver à cent lieues de là. Avec ses jambes écartées et bien plantées sur la plate-forme, avec ses bras en arc sur les hanches dans une pose qui rehaussait le galbe fébrile de sa gorge et imprimait à tout son corps un air de délicieuse provocation, elle lui appa-

152

rut toute puissante et presque divine, mystérieuse et intemporelle, plus grande que nature, mais en revanche si près de l'image de la femme dont son imagination traçait le dessin dans ses moments de songerie nocturne.

«Eh bien! Jouve, lui cria-t-elle, on ne dit pas bonjour? Viens nous conter ce qui vient de t'arriver.

— Tu ne t'es pas fait mal au moins? ajouta Louise, qui, maintenant que leur mauvais tour était joué, craignait que son frère n'eût été secoué trop rudement.

— Non, ça va, mais j'aurai ma revanche, dit-il sans conviction, car il ne se voyait pas rusant avec Monique.

— Je dois reconnaître que tu sais nager, reprit Monique, pendant que Jouve s'accoudait au radeau afin de reprendre son souffle. Nous voulions seulement te faire une surprise.

— Pour une surprise, c'en est une!

— Je vois que nous avons réussi. Tu ne m'en veux pas?»

Le sourire malicieux qui accompagna cette demande le désarma et, avant que Jouve n'eût eu le temps de répliquer, elle tomba à genoux devant lui et, lui prenant la tête entre les deux mains, elle plaqua un baiser sur son front au plus grand plaisir de Louise, désormais complètement rassurée sur l'état de son frère. Quant au principal intéressé, il resta bouche bée, incapable de réagir, mais l'illumination de ses yeux noirs en disait long sur l'émotion mêlée de joie qui gagnait tout son corps. Sans doute Monique déchiffra-t-elle ce langage:

après un clin d'œil complice en direction de sa proie, elle parut s'en désintéresser totalement et alla s'asseoir près de Louise.

Entre les deux, la conversation reprit, faite de mots chuchotés à l'oreille, d'exclamations sonores qu'elles essayaient d'atténuer en portant la main à la bouche. Jouve tenta bien d'intervenir en lançant, par-ci, par-là, une observation anodine. On l'ignora. Au fond, ce rejet l'arrangeait : il lui permettait à la fois de penser à la merveilleuse chose qui venait de lui arriver — ô combien de veilles n'allait-il pas pouvoir consacrer à la recréation de cette scène ! — et d'examiner tout à loisir sa belle donneuse. Le tracé provocant de son corps profilé en polychrome sur le bleu pastel de l'horizon accentuait les lignes douces et divines, rondes et riantes de son visage. Jouve fut troublé : il détourna momentanément son regard, la fièvre lui serrant la gorge. Quand, calmé, il fixa Monique de nouveau, ce fut pour s'arrêter sur les traits marquants de sa physionomie : ses lèvres charnues et paresseuses à l'ourlet prononcé, coloré de nacarat, dont l'empreinte lui brûlait encore le front ; son nez droit aux ailes frissonnantes et ombrées ; ses yeux aux prunelles bleu jais d'une telle rutilance dans l'écrin ovale de leurs paupières qu'il n'avait jamais pu en soutenir le feu. Puis ce fut le médaillon de tout le visage de Monique qui se détacha et retint son attention : le bouclé naturel de son abondante chevelure blonde sur laquelle chatoyaient, comme des esquilles de topaze sur un casque d'or, de fines gouttelettes d'eau ; la fragilité porcelainière, la finesse graphique de son cou ambré, légèrement duveté le long de la nuque ; et, plus bas, le mystère terrifiant de sa gorge enfouie dans le brusque gonflement de sa poitrine.

Les désirs les plus affolants qui l'assaillirent, les impressions les plus vives qui l'agitèrent, il aurait voulu les refouler dans le tréfonds de son être, là où personne n'aurait pu les déterrer, ou les lui reprocher, mais il en fut incapable si forte était l'attraction qu'exerçait sur lui la beauté innocemment excitante de Monique. Il avait oublié la présence de sa sœur et ne voyait plus que Monique : la vénusté sans fard de son jeune corps accaparait son champ de vision et meublait toutes les cellules de son imagination.

Des minutes qui, dans son exaltation à les vivre, lui parurent des heures, s'écoulèrent. Que ne pouvait-il retenir chacune d'elles ! Il se rappela l'été, il devait y avoir de cela quelques années, où Monique lui avait enseigné la bonne façon de nager le crawl au grand dam de Mathieu qui se prétendait le seul maître en la matière. Furieux, il s'était éloigné des lieux pour ne rien entendre et le laissa seul avec la jolie monitrice. Alors jeune adolescente sans complexes ni fausse pudeur, Monique n'était pas encore pleinement consciente de sa féminité et adoptait volontiers des manières garçonnes avec les jeunes de l'autre sexe. La leçon avait naturellement donné lieu à toutes sortes d'attouchements fortuits qui avaient d'abord paralysé Jouve, mais il s'était ressaisi rapidement et, simulant la maladresse, avait fait durer la manœuvre le plus longtemps possible.

Que ne donnerait-il à cet instant pour sentir la douceur de ses bras mouillés autour de

son corps, comme jadis, lorsqu'elle l'avait sou-
tenu à fleur d'eau pour lui montrer les mouvements de nage à accomplir! D'autant que son
ravissement, pour intense qu'il fût, commençait
à s'émousser, la seule présence de Monique sur
le radeau, à laquelle il s'habituait, ne lui suffisant plus. Ce qu'il avait devant lui, ce n'était
pas une naïade de Puvis de Chavannes : c'était
une jeune fille en chair et en os, splendide,
bien vivante et presque nue avec son maillot
deux pièces qui dévoilait, plus qu'il ne cachait,
tous ses attraits physiques. Cette fille parlait,
riait, mimait, étirait le cou, bombait la poitrine,
lissait ses épaules et ses jambes avec ses paumes ; ces gestes, tout naturels qu'ils fussent,
débordaient de lascivité et invitaient tous ses
sens. Il l'imagina dans ses bras, caressant de la
main ses épaules et sa nuque, aspirant à pleines
narines la suave moiteur de son haleine, effleu-
rant des lèvres les fins traits de son visage,
pendant qu'elle lui soufflait à l'oreille les premiers mots du monde.

À leur tour, cependant, ces images lui devinrent insoutenables même si d'une certaine
façon elles demeuraient, sans doute à cause de
son inexpérience, innocentes et chastes. Elles
heurtaient de front sa modestie d'adolescent et
le projetaient au-delà de tout ce dont il avait pu
rêver jusqu'à maintenant. Anne qu'il croyait
connaître n'avait jamais provoqué chez lui de
telles impressions, ce qui n'aurait pas dû le
surprendre puisqu'elles correspondaient à un
degré d'expérience affective que ni l'un ni l'autre n'avaient encore atteint. Monique, avec laquelle il n'avait aucune affinité à proprement
parler — la différence d'âge l'excluait, — lui
ouvrait les portes d'un monde inconnu qui l'ef-

frayait, dont il soupçonnait vaguement ou croyait soupçonner les séductions secrètes sans toutefois pouvoir en dessiner le contour, en imaginer la portée, parce qu'il n'en possédait pas encore la clef. Il ferma les yeux en signe de refus et songea à s'éloigner du radeau, moins pour chasser de son esprit ces images troublantes que pour les jauger et graduer leur absorption. Mais mal lui en prit car elles ne se laissèrent pas cerner aussi facilement. Au contraire, c'était comme si leur puissance évocatrice décuplait maintenant qu'elles évoluaient dans un espace éclaté, hors de leur objet visible.

« Hé ! Jouve, cria Monique, réveille-toi. Tu viens avec nous ? »

Et sans attendre sa réponse, elle plongea du radeau avec Louise. L'invitation de Monique, si elle le ramenait abruptement à la réalité, lui procura un immense soulagement, surtout qu'il ne décela sur son visage franc et souriant aucun indice pouvant suggérer qu'elle eût remarqué son égarement. Le cœur léger, il se lança à leur poursuite en celant mal le sentiment d'orgueil qu'avait fait naître en lui la montée de désirs inconnus.

À la plage, les choses s'étaient calmées. Le soleil devenu lourd, poisseux et omniprésent, allumait les cristaux de sable et poudrait l'air de paillettes de feu. Angélie avait regagné le chalet avec Louis et Isabelle. Adeline et Sylvaine se roulaient sur la grève, tandis que Mathieu, épuisé à la suite d'une traversée rapide de la baie, reprenait son souffle en surveillant de ses yeux futés d'Indien chasseur Monique qui revenait du radeau avec Louise. Anne, arrivée plus tard, se baignait encore, profitant de l'accalmie pour pratiquer ses nages préférées. Son long corps mince, souple et gracieux, ne trahissait aucun effort et s'adaptait merveilleusement bien au style que sa fantaisie du moment lui dictait ; il s'intégrait si bien à l'eau que les oscillations de ses bras et les flexions de ses jambes, que ce fût pour la brasse, le crawl ou la nage sur le côté, ne produisaient aucun éclaboussement ni clapotement. Au retour d'une profonde nage en plongée, elle se trouva face à Jouve.

« Bonjour, Jouve, dit-elle, essouflée, ruisselante.

— Tiens ! c'est toi, répondit-il d'un ton neutre et distrait, je ne pensais pas que tu étais arrivée.

— Je suis ici depuis hier soir.

— Bravo ! tu dois être contente.

— Si, très contente. Tu connais mes sentiments sur le couvent, sur les religieuses. Ils n'ont pas changé depuis l'an dernier. Je m'habitue quand même à cette vie de couventine. Il le faut bien puisque je n'ai pas le choix. Il reste que j'ai bien hâte d'en sortir, d'échapper pour de bon à la tutelle des sœurs. »

Son visage au dessin délicat et équilibré sur les joues duquel coulaient des filets d'eau s'aviva mais, comme elle allait lui relater quelques expériences plus personnelles, elle perçut chez Jouve un manque d'intérêt qui la fit se cabrer et serrer les lèvres. Tout rempli de Monique, qu'il observait du coin de l'œil nageant non loin avec Mathieu et échangeant des plaisanteries, Jouve restait froid et ne faisait rien pour faciliter la conversation. Il n'avait même pas remarqué combien elle avait changé depuis un an. L'image de la jeune fille qu'elle deviendrait s'ébauchait dans son corps d'adolescente tout en lignes droites. Silencieuse et un peu dépitée, elle regarda Jouve un moment : ce n'était plus le compagnon tendre et attentionné des années passées. Il avait grandi, aminci ; ses traits, plus anguleux, sa voix, plus ferme, et ses yeux, plus profonds, marquaient une détermination qu'elle ne lui avait jamais connue. Il lui fit penser à Gaby, le grand frère aviateur, qui avait été la cause jadis de la première peine d'amour de Muriel. Il lui arrivait, entre deux échappées sur le lac, de s'installer sur la galerie après le dîner pour jouer de la guitare et siffloter quelques complaintes. Les plus jeunes se donnaient le mot rapidement et venaient faire cercle à ses pieds. Un soir, au moment où il s'apprêtait à ranger son instrument et à envoyer tout ce jeune monde se coucher, Anne avait pris son courage à deux mains et l'avait supplié : « Encore une, Gaby. » Avec sa voix chaude et son regard séducteur, il avait répondu : « D'accord, je vais en chanter une autre. » Et lui lançant un clin d'œil, il avait ajouté : « Pour toi seulement, Anne. » Elle fut tout yeux, tout oreilles et, naturellement, elle n'entendit pas les protestations véhémentes d'Adeline et de Sylvaine. Le rappel de ce moment l'émut et lui fit oublier l'attitude de Jouve.

« Parle-moi de toi, lui demanda-t-elle. Comment l'année s'est-elle passée ?

— Comme ci, comme ça, dit-il avec une impatience qu'exacerbait la familiarité avec laquelle Mathieu parlait à Monique, et avec un brin de méchanceté dans la voix, moi, j'en ai fini avec l'école des sœurs. En septembre, je vais aller au petit séminaire. »

La flèche la blessa ; cachant néanmoins ses sentiments, elle coupa :

« Excuse-moi, je dois retourner au chalet. »

Il n'eut pas le temps de réagir. Sylvaine, qui depuis un moment l'appelait, venait de le rejoindre et se pendait à ses bras. « Jouve, viens jouer avec moi, viens me faire sauter dans l'eau comme tout à l'heure. »

14

Durant ce temps, sur la terrasse où nous l'avons laissée, Mme Marans, en apparence apaisée et reconciliée avec son monde, égrenait amoureusement le long chapelet de joies à elle apportées par cette même Sylvaine, n'interrompant parfois sa récitation que pour s'attendrir sur les rêves dont sa fille était l'objet indifférent ou pour en construire d'autres, plus merveilleux encore.

Mais cette complaisance maternelle, toute naturelle qu'elle fût, même dans sa démesure, fardait l'espèce de « mal à l'âme » qui la tenaillait inévitablement chaque fois qu'elle faisait des retours sur elle-même. Un tel sentiment lui était pourtant nécessaire car il constituait un contrepoids moral, l'acte de pénitence qui la lavait de ses tourments et oblitérait ses folles pensées.

Cette fois, la thérapeutique ne lui apporta pas le repos des sens ni la paix intérieure, sa compagne. Son corps assoupi ne cessait de gémir sur la rude toile de la chaise longue. Tels des rapaces, une nuée de démons, ricaneurs et insolents, tournaient autour d'elle, leurs tridents pointés sur son cœur.

Une risée, venue du bois, arriva heureusement à la rescousse de Mme Marans : elle renversa le pare-soleil de la chaise, soulevant et empalant son chapeau. Elle ouvrit les yeux. Les traits de son visage étaient tirés comme après une longue veille : « Mon Dieu, que m'arrive-t-il ? bégaya-t-elle. Il faudra que je me surveille et que je prenne du repos. » Le soleil se cachait derrière de gros nuages gris. Il n'y avait aucun risque d'averse : de l'autre côté de la baie, l'horizon s'éclaircissait et argentait les franges des vagues.

Mme Marans, très frileuse, remit son gilet sur ses épaules, le temps ayant quand même fraîchi. Ce n'était pas encore juillet : l'air se refroidissait dès que le soleil disparaissait. Un livre traînait sur la petite table ronde à côté. Elle le prit, le feuilleta un moment, puis se décida à le commencer. C'était le premier tome de la *Chronique des Pasquier* qu'une amie lui avait passé quelques semaines auparavant. Elle s'arrêta à la troisième page du prologue, incapable de poursuivre sa lecture. Ça n'accrochait pas assez à son goût. À vrai dire, l'envie de lire lui manquait. Quelque chose la travaillait ; son cœur battait fort, et ses jambes, étendues depuis un long moment, étaient engourdies. Si elle avait pu rejoindre son mari, elle lui eût demandé de venir la chercher afin de passer l'après-midi seule à la maison. Elle voulait voir clair dans ses pensées et débusquer les scories les entachant, loin de ses enfants, dans la quiétude de sa demeure de Val-des-Ormes, désormais vide pour l'été. « Que c'est embêtant, pensa-t-elle, qu'il n'y ait pas de téléphone. » Que faire ? Aller à la ferme des Prés et appeler de là ? C'était trop loin. De plus, elle ne se sentait pas la force de marcher jusque-là, sur un chemin raboteux où l'on risquait de se tourner un pied à tout moment. Que diraient les gens si on la voyait faire seule, à cette heure, ce long trajet ? À peine avait-elle été plus loin que le domaine des Burgaud, surtout en matinée.

Elle ne marchait que pour aller à la grand-messe, le dimanche matin. Au vrai, il s'agissait d'une marche de quelques minutes : la famille habitait une maison de briques rouges, à deux étages, au toit applati, sise en face du Palais épiscopal. Mme Marans n'avait qu'à traverser la rue et à longer le trottoir d'asphalte qui contournait l'esplanade jusqu'au parvis de la cathédrale. Il lui arrivait très rarement de déambuler dans la principale rue commerçante de Val-des-Ormes, de s'arrêter en chemin pour causer avec des connaissances, ou encore d'entrer dans une boutique sous l'impulsion du moment. Elle trouvait ces activités au-dessous de sa condition. Mais il lui fallait bien, à l'occasion, faire des emplettes dans un établissement local. M. Marans devait alors la conduire en voiture et la déposer à la porte. C'était Martine qui s'occupait des achats courants, qui se rendait d'ordinaire chez le boucher, chez l'épicier. C'était elle également qui courait les diverses merceries à la recherche d'occasions pour les plus jeunes.

Pour habiller ses grandes filles, Mme Marans commandait chez Morgan, à Montréal, du tissu en solde qu'elle avait vu annoncer dans *La Presse*. Elle faisait venir sa couturière à la maison, et pendant que Louise et Ève déballaient le précieux colis que son mari avait été prendre à la gare, elle sortait une revue de mode ou le tout dernier catalogue d'un grand magasin de Montréal et donnait ses instructions. La salle de séjour, momentanément interdite aux garçons, se transformait en salon d'essayage. Des épingles entre les lèvres, le mètre à ruban dans une main, les ciseaux dans l'autre, la couturière, alerte et compétente mais bougonne sur les bords, prenait les mesures des filles, coupait le tissu qu'elle avait déroulé sur la grande table, le taillait à l'aide d'un patron de papier de soie, vérifiant ici, rectifiant là, puis abordait le faufilage et l'essayage; tout cela au milieu d'exclamations de surprise, au milieu des cris de joie des filles et des mots d'approbation de la mère auxquels se mêlaient d'innocentes bousculades et quelques moues maussades vite effacées cependant. Augustin aimait bien arriver à l'improviste et surprendre ses sœurs en jupon ou en sous-vêtement. C'était la course, l'une ramassait une jupe qui traînait, l'autre une robe jetée sur une chaise, et chacune tentait tant bien que mal de cacher sa pudique nudité avec le vêtement pressé contre la poitrine. Avant que Mme Marans ou Martine n'eût eu le temps de protester, Augustin s'éclipsait après avoir fait un sourire d'intelligence à Adeline et à Sylvaine qui se tordaient de rire.

Mme Marans, elle, s'habillait à Montréal. Elle s'y rendait au printemps et à l'automne par le petit train du Nord. Quelle aventure c'était! Elle en parlait des semaines à l'avance et, pendant les jours précédant son départ, on la

164

voyait feuilleter fébrilement les journaux, lire des articles sur la mode, consulter la patronne d'une mercerie de Val-des-Ormes qui, parfois, pour l'accommoder en fin de saison, lui commandait des effets, comme un manteau d'hiver pour Martine ou une robe de laine pour Ève. Au retour, sa grande crainte était de voir une autre femme portant une robe identique à celle qu'elle avait rapportée. Quand une telle catastrophe arrivait, elle demandait à sa couturière de la modifier, et elle la donnait à Martine. Étrennant, un jour de Pâques, un chapeau de paille en forme de cloche, de la même couleur pêche qu'un superbe tailleur qui lui seyait à merveille, elle avait, pendant la messe, aperçu Mme Burgaud qui arborait un chapeau semblable avec la même plume d'oie blanche. Le spectacle l'avait horrifiée : elle aurait voulu disparaître sous le banc. Elle s'était consolée en se disant que ce genre de coiffure n'avantageait pas Mme Burgaud, qu'il l'écrasait. À son retour à la maison, encore sous l'effet de sa honte, le chapeau était allé rejoindre, sur la tablette supérieure de sa garde-robe, ceux qu'elle ne portait plus. Elle en avait causé longuement au déjeuner.

Martine arriva sur la terrasse avec une tasse de tisane pour Mme Marans. De la fenêtre de la cuisine où elle préparait le repas du midi, elle l'avait vue s'agiter, se retourner dans sa chaise, s'enrouler dans sa couverture, tandis que son profil aux lignes délicates, à peine tracées, sur les faces duquel le soleil s'était blotti quelques minutes auparavant, redonnant vie et couleur à tout le visage, avait blanchi sous le ciel gris et s'était affaissé. La connaissant, elle savait ce qu'il fallait faire en l'occurence. Ce fut donc une Martine aguerrie et prévenue qui s'approcha de Mme Marans.

« Pauvre Mme Marans, dit-elle avec sa voix douce et délibérément humble, qu'est-ce qui vous arrive ? Je le savais que cela se produirait. Vous avez trop travaillé hier. Je vous avais pourtant conseillé de vous reposer et de me laisser préparer les choses pour le chalet. Vous vous en faites toujours trop, vous ne savez pas quand il faut vous arrêter. Tenez, prenez ceci, ça va vous faire du bien. »

Était-elle réellement malade ? Souffrait-elle d'un malaise précis ? Martine le croyait, ou tout au moins feignait de le croire, bien qu'au fond d'elle-même, dans les replis de son cœur sans malice, elle soupçonnât vaguement que Mme Marans traversait une simple crise d'ennui. Une bonne parole, un geste de compassion sincère et spontané, renforcés d'une flatterie sur sa beauté qu'elle se devait de soigner et de préserver, ou d'un compliment sur le goût exquis dont elle avait fait preuve dans le choix de sa toilette pour la réception du dimanche précédent, chez le député, et le bonheur qu'elle, Martine, ressentait à la suite du succès qu'elle avait obtenu et dont quelques échos lui étaient parvenus, tout cela chasserait promptement sa morosité. Martine s'exécuta en conséquence.

« Merci, ma bonne Martine, dit Mme Marans qui s'était redressée et qui buvait sa tisane lentement. C'est vrai ce que tu me dis au sujet de ma robe ? J'ai bien vu aussi les regards de jalousie de la femme du maire. Elle est devenue blême quand son mari m'a baisé la main et m'a complimentée sur mon élégance. Il a même remarqué ma nouvelle broche sur mon corsage, tu sais, celle que j'ai achetée chez Birks en avril... C'est drôle, je me suis sentie faiblir soudainement. J'ai cru que j'allais m'évanouir. Tu es arrivée à temps. Je me sens mieux maintenant. »

Effectivement, ses couleurs renaissaient et deux taches roses de la grosseur d'un camée ornèrent ses joues. Ses membres se relâchaient en même temps qu'elle relevait les épaules et qu'elle haussait la tête avec cet air de supériorité blessée qu'après une faiblesse une femme fière affiche. Du revers de la main, elle indiqua à Martine qu'elle n'avait plus besoin d'elle. Les nuages s'étaient dispersés et le soleil, de nouveau dans toute sa splendeur orgueilleuse, participait à son triomphe en répandant une ondée de diamants sur ses cheveux.

Ce fut avec une maîtrise absolue d'elle-même, en possession de tous ses charmes, qu'elle accueillit ses enfants qui commençaient à arriver après quelques appels de Martine, et qu'elle les suivit lentement, tenant son Duhamel dans une main et tapotant la tête blonde de Sylvaine avec l'autre. Elle monta l'escalier de la galerie en s'arrêtant à chaque marche, jeta un coup d'œil circulaire sur son domaine et pénétra dans le chalet où le déjeuner les attendait tous.

15

À mi-chemin en revenant au chalet, Jouve entendit la clochette de Martine mais il n'accéléra pas le pas pour autant : trop d'impressions l'agitaient encore et il craignait qu'elles ne s'émoussassent. Heureux de sa matinée, ne prêtant qu'une oreille distraite au chant assourdissant des insectes que grisait leur festin quotidien de pollen et de nectar, il s'arrêta un instant pour choisir une autre tige de fléole des prés, puis, avec une volupté évidente, il mâcha et remâcha sa pointe cylindrique, blanche et tendre comme un céleri à côtes.

Le contentement de Jouve s'expliquait : non seulement il avait établi suivant ses résolutions du matin la ligne de conduite qu'il allait désormais suivre à l'égard d'Anne, toujours une enfant dans son esprit, mais, en succombant à l'ensorcellement de Monique, il avait entrevu tout ce qui lui avait manqué dans ses rapports avec la première et aperçu les horizons élyséens et combien plus enivrants que lui ouvrait la seconde. Quoique rien n'eût indiqué de façon certaine que Monique lui avait manifesté un intérêt plus particulier, Jouve avait constaté durant le plaisant badinage qui avait suivi le départ court d'Anne la tendance de Monique, devant les taquineries gaillardes de Mathieu, à chercher son approbation, à le prendre à témoin de son indignation, et même à le désigner comme son défenseur. C'était un rôle qui lui seyait bien, son tempérament pacifique et son horreur de tout excès l'amenant tout naturellement à prendre le parti des faibles.

« Mathieu, tu es impertinent et mal élevé. Je ne veux plus te voir de l'été », s'était écriée Monique, exaspérée à la fin par ses allusions répétées sur la générosité de sa poitrine. « Ce n'est pas Jouve qui tiendrait un tel langage. Il sait, lui, comment se conduire avec les jeunes filles. N'est-ce pas, Jouve ? » avait-elle ajouté en lui tendant la main et en se rapprochant de lui comme pour se protéger. Devant l'assaut, Mathieu avait retraité non sans avoir, pour sauver la face, fait perdre pied à Monique qui s'était ramassée au fond de l'eau. Le coup était venu si rapidement qu'elle n'avait pas eu le temps de retenir sa respiration. Il était déjà sur la rive lorsqu'étouffée et blême de rage, elle était revenue à la surface. Jouve avait tenté, après qu'elle eut eu repris son souffle, d'excuser son ami, mais Monique, blessée dans son orgueil, n'avait voulu rien entendre. « Sois gentil, Jouve, ne me parle pas de Mathieu, avait-elle dit. Allons plutôt nager, cela me calmera. »

Le magnétisme de Monique, la spontanéité de sa conversation et l'absence chez elle de toute condescendance achevèrent de le conquérir. Il fut si touché par son attitude qu'il se reprocha les regards de convoitise sur elle portés lorsqu'il avait, agrippé au radeau, célébré en secret sa beauté. Mais ce regret, superficiel et passager, ne dérangea guère sa conscience ; au contraire, faute reconnue étant faute pardonnée, il se sentit plus libre de recommencer, démontrant par là qu'il grandissait. Et constatant par ailleurs que Monique ne le gênait plus comme par les années passées, qu'il pouvait dorénavant être à l'aise avec elle, il interpréta ce changement comme un signe de maturité.

Au surplus, eût-il voulu chercher plus loin les raisons de son assurance qu'il n'en aurait pas eu le loisir tant l'accapara durant ces instants la douce présence de Monique nageant à côté de lui avec toute sa joie naturelle retrouvée, et que le combla l'attention qu'elle lui prêtait. Son langage n'était plus celui d'une adolescente. Communicative, d'une franchise désarmante, elle soulignait l'importance d'un propos non pas en plissant les traits — elle en aurait été incapable car son visage toujours épanoui comme un hélianthe et ses yeux pétulants trahissaient sa jovialité innée, — mais en adoptant un ton faussement grave ou en se grattant nerveusement la tête.

Ce qui flatta le plus Jouve fut qu'elle causa avec lui d'égal à égal, en oubliant leur différence d'âge. Il se laissa bercer par sa voix animée et rieuse et ne l'interrompit que pour relancer la conversation. Elle parla d'elle-même, de sa famille, de ses études à Marguerite-Bourgeois, un couvent chic de Montréal fréquenté par les filles de la bonne société. Quand ils touchaient le fond de l'eau avec leurs pieds, ils s'arrêtaient pour reprendre haleine. Dans ses moments, Jouve jetait un œil furtif sur ses seins de nourrice, frémissant sous son maillot, tantôt caressés par l'onde transparente, tantôt flottant comme deux lis d'eau.

C'était l'image qui le poursuivait maintenant alors qu'il mettait de l'ordre dans ses pensées et récapitulait les événements de la matinée. Le comportement même de Monique, ou plutôt la sympathie qu'il avait sentie chez elle à son endroit, outre qu'elle autorisait tous les espoirs, légitimait sa froideur pour Anne, fût-ce après coup, car si, dans ses imaginations matutinales, il avait prétexté sa nouvelle maturité pour s'éloigner d'elle, l'intérêt que lui manifestait maintenant Monique non seulement corroborait sa propre analyse de lui-même mais ajoutait encore, aux conclusions toutes subjectives qu'il en avait tirées, une justification extérieure, donc objective, et autrement plus forte. Ce concours de circonstances, qu'il n'avait pas prévu, avait l'immense avantage de lui donner bonne conscience. Et comme la figure un peu chagrine mais si belle d'Anne surgit devant lui, quand il contourna le rocher sur lequel il avant reçu d'elle son premier baiser, il la balaya avec le coup de pied assené sur le caillou qui, roulant sous sa sandale, faillit le faire trébucher.

16

Chez les Burgaud, l'atmosphère durant le déjeuner fut maussade et tendue malgré les réserves de patience et de dévouement d'Angélie. Mathieu, qui regrettait sa scène avec Monique, passa son dépit d'abord sur Louis, ce qui fit pleurer Isabelle qui n'aimait pas qu'on s'attaquât à son grand petit frère, puis, comme il ne réussissait pas à choquer Louis avec ses sarcasmes sur son teint crayeux et ses allures de don Quichotte imberbe, il dit à Anne, un peu absente, comme perdue dans ses pensées :

« Ton amoureux t'a lâchée, à ce que je vois.

— Quel amoureux ? demanda-t-elle. Je n'ai pas d'amoureux. Je n'en aurai jamais.

— Quel amoureux ! Tu te moques de moi ; et Jouve, il n'est pas ton amoureux ? Tu ne t'es pas vue le regarder avec des yeux suppliants. »

Devant le silence de sa sœur, il reprit mais cette fois avec une pointe de jalousie dans la voix :

«Tu ne me feras pas croire que tu n'as pas remarqué ses coups d'œil en direction de Monique pendant que tu essayais désespérément de retenir son attention. Remarque qu'il n'a pas tort. Je le comprends trop bien. Qui pourrait s'intéresser à toi avec tes airs de sainte nitouche, tes manières précieuses et tes idées de grandeur.

— Qu'est-ce que tu racontes là? répondit Anne qui luttait fort pour conserver son calme. C'est tout ce que tu trouves à me dire pour marquer mon retour à la maison après une absence de six mois. Quel joli frère tu fais! J'avais cru que tu avais changé: je me suis cruellement trompée. Quelle déception! Tu es complètement irrécupérable. Je plains la fille qui tombera amoureuse de toi.

— Oh! là! là! Je ne te croyais pas si soupe au lait! Je ne voulais pas vous offenser, mademoiselle. Tu n'entends pas le rire, non! Si je t'ai blessée, je m'en excuse. . .

— Mathieu, tu es méchant, s'écria Isabelle qui avait quitté sa chaise et frappait Mathieu avec ses petites mains lisses et rondes comme deux prunes.

— Mais non, ma belle, ce n'est pas vrai. Je plaisantais et, d'ailleurs, je viens de m'excuser.

— C'est mieux. Sans cela, je l'aurais dit à papa, ajouta-t-elle comme Mathieu l'asseyait sur ses genoux et la cajolait. Elle se laissa gagner facilement et se mit à tapoter les boutons de la chemise de son frère.

— Ce serait mieux, enchaîna Anne, un reste de courroux dans la voix, si tu ne recommençais pas toujours.

— Tu ne t'attends tout de même pas à ce que je m'agenouille à tes pieds, répondit Mathieu, moqueur.

— Oh! non, je ne t'en demande pas tant. Je n'aime pas humilier les gens et encore moins mon propre frère, même s'il prend souvent plaisir à écraser les plus faibles que lui. Mathieu, tu es le seul grand frère que j'ai. Je souhaiterais tellement que nous soyons plus près l'un de l'autre. Pourquoi est-il si difficile d'avoir une conversation normale avec toi? Tu es grand, fort, courageux, débrouillard. . .»

Son masque de bronze ne bougea pas mais Mathieu trahit l'intérêt que suscitaient chez lui les paroles de sa sœur par le scintillement de ses prunelles.

«Mais la force brute n'est pas tout, poursuivit Anne. Tu ne peux continuer indéfiniment à brutaliser tout le monde, à montrer le poing ou à lancer des injures dès que l'on s'oppose à toi. As-tu songé à la sorte de vie que tu te réserves en persistant dans cette voie? Si tu mettais autant d'opiniâtreté à former ton esprit, à forger ton caractère que tu consacres d'énergie à rudoyer tes semblables, quel gars merveilleux tu deviendrais!»

La tournure de la conversation avait déjà éloigné Isabelle et Louis. Quant à Angélie, ravie de voir le frère et la sœur s'entendre, elle se fit discrète et, après s'être appliquée un moment à desservir la table, elle se retira dans la cuisine, les laissant seuls tous les deux.

«Ce n'est pas l'intelligence qui te manque: tu en es heureusement et amplement pourvu. Pour des raisons que je soupçonne peut-être,

175

cette belle intelligence, tu la laisses en friche, tu permets au chiendent, à la mauvaise herbe de l'envahir, de l'étrangler. L'intelligence, nous répète souvent notre maîtresse de français, c'est comme un champ inculte : il faut l'essarter pour qu'elle puisse vivre à l'air libre, la drainer pour l'empêcher de moisir, la labourer vigoureusement avec le soc de l'expérience, la sarcler de temps à autre pour que les graines de la connaissance puissent germer et fleurir. Comme père, à qui tu ressembles par plus d'un côté, tu es généreux de nature, capable d'altruisme. Cependant, pour rien au monde tu ne voudrais que les gens s'en aperçoivent. Je me suis longtemps demandée pourquoi. Je pense comprendre maintenant. Tu caches ton vrai visage parce que, s'il était connu, ta réputation de dur en souffrirait. En d'autres mots, et je ne veux pas être facétieuse, tu croirais perdre la face devant tes camarades. N'est-ce pas que j'ai raison ? »

Le masque commençait à craquer. L'étonnement initial cédait la place à de l'émerveillement. Mathieu, qui avait l'impression de découvrir sa sœur pour la première fois, rejeta loin derrière lui l'image de l'enfant chétive qu'il s'amusait à ridiculiser et à bousculer. Toutefois, si le déshabillage psychologique qu'elle lui imposait le renversait par sa justesse et sa profondeur, il n'était pas prêt à en admettre l'à-propos parce que trop blessé dans son orgueil. Que sa cadette puisse démonter avec autant de finesse les ressorts secrets de son âme ne semblait pas à Mathieu une chose facile à avaler. Il aurait voulu répondre à la question d'Anne mais, ne décelant aucune faille dans son analyse, il ne savait comment. « Ne vaut-il pas mieux, se dit-il en manière de justification de son silence, voir jusqu'où elle ira. Elle finira bien par se fourvoyer. » Et c'est alors qu'il pourra contre-attaquer et sortir de cette toile d'araignée, si astucieusement filée, sa fierté intacte. Anne, quant à elle, s'aperçut que son frère ne restait pas insensible à ses remarques : il s'agitait sur sa chaise en lissant ses grosses lèvres charnues avec son index. Sans attendre sa réponse, elle continua :

« Je n'insiste pas sur ce point. D'ailleurs, ce que je viens de te dire n'explique pas tout. Je pense que la clef de ton comportement, c'est père. Ses ivresses répétées te font honte ; elles détruisent les sentiments de respect que tu aimerais avoir pour lui. Tu lui en veux profondément de se laisser aller à sa passion, de se donner en spectacle à l'extérieur, de ternir la réputation de sa famille. Cet état de chose te déconcerte et t'humilie. Ne sachant à qui t'en remettre, comment crier ta douleur, tu noies ton désarroi dans des attitudes agressives qui te viennent avec d'autant plus de facilité que tu as la force physique pour les appuyer, en bref, tu t'en prends à mère, tu te venges sur moi. »

Anne sentit à la grimace de Mathieu qu'elle s'était avancée un peu trop loin. Piqué au vif, il ironisa :

« Tant qu'à faire, pourquoi ne pas me tenir responsable de tous les malheurs de la famille ? Je n'ai jamais entendu autant de sottises. Qu'est-ce que tu sais de moi ? Tu ne me vois plus que pendant les vacances.

177

— Pauvre Mathieu ! Ne prends pas à la lettre tout ce que je te dis. Ne vois-tu pas qu'en te parlant avec autant de franchise, je m'emploie à te décrire ma propre détresse. Tes sentiments à l'égard de père, je les partage. Quand j'étais plus jeune, je ne me rendais pas compte de ce qui se passait, même que ça m'amusait de voir père tituber. Je pensais qu'il marchait ainsi pour nous faire rire. Il nous courait après Isabelle et moi, mais, dans l'état où il était, il ne parvenait jamais à nous attraper. Et puis, quand, après s'être amusé avec nous un bon moment, il allait s'écraser par terre, je me disais qu'il voulait se reposer parce que nous l'avions fatigué avec toutes nos courses. La situation a bien changé ces dernières années. À jeun, il semble distant et un peu perdu, et quand il boit, il devient irritable et ne veut plus parler à personne. Y a-t-il quelque chose que nous pourrions faire ? As-tu déjà songé à lui parler ?

— Tu penses qu'il m'écouterait ? s'empressa de répondre Mathieu, tout aise de voir la conversation changer d'objet. Je ne le crois pas. La seule personne qui a une influence sur lui et qui pourrait faire quelque chose, c'est mère, mais tu sais aussi bien que moi qu'elle ne s'y résoudra jamais : elle préfère souffrir en silence.

— Pour maman, tu as sans doute raison, répondit Anne, mais il y a Muriel. As-tu déjà pensé à elle ? Elle est l'aînée de la famille.

— Muriel ? Elle s'en fiche éperdument car elle profite de la situation. Dans l'état où il est le plus souvent, père ne peut la surveiller et comme elle ne craint plus mère, tu vois un peu le degré de liberté dont elle jouit. En d'autres termes, elle fait ce qu'elle veut. Quand son

178

fiancé vient la visiter, elle s'enferme dans le salon avec lui. Maman n'ose même pas lui dire de laisser la porte ouverte. Imagine tout ce qui doit se passer ! Tout à fait exprès, j'ai surgi un jour au salon. Quel spectacle ! Ils étaient tous deux allongés sur le divan, entrelacés à n'en plus finir.

— Vraiment ? Tu n'en rajoutes pas un peu ? interrompit Anne, piquée par la curiosité.

— Aucunement. Je n'ai jamais vu deux personnes se mettre sur leur séant avec autant de rapidité.

— Qu'a dit Muriel ?

— Rien. Elle bouillait de rage, tandis que le Clément, rouge comme une tomate, resserrait le nœud de sa cravate. D'ailleurs, je me suis sauvé avant qu'ils n'aient eu le temps de réagir. »

La conversation, désormais détendue, se poursuivit un bon moment, le frère et la sœur se rendant compte qu'ils ne s'étaient jamais parlés ainsi et qu'ils y prenaient un vif plaisir. Des taches dorées, tamisées par le feuillage des arbres dehors, les flattaient tous les deux et sautillaient sur la nappe de toile blanche.

Ce fut l'arrivée inattendue de Jouve qui interrompit abruptement leur entretien. Anne, qui avait vu venir Jouve par la fenêtre, s'était excusée auprès de Mathieu et avait quitté la pièce en hâte : après sa rebuffade à la plage, elle ne se sentait pas encore prête à affronter son ami. La plaie n'était pas refermée. Elle avait besoin d'être seule pour faire le point et se composer un visage. Sa propre peine expliquait d'ailleurs le petit côté outrancier de la semonce qu'elle avait servie à Mathieu. Sans doute avait-elle fini par mesurer l'injustice du procédé puisqu'elle venait justement, avant d'apercevoir Jouve, de demander à Mathieu s'il lui en voulait pour la franchise et la dureté de ses paroles.

«Je n'aurais pas dû te parler ainsi, continua-t-elle avec un air si délicieusement contrit qu'il fit sourire son frère. Dieu sait quelle mouche m'a piquée! Je te reprochais de ne pas me connaître : c'est plutôt moi qui te mésestimais!»

Mathieu reconnaissait dans son for intérieur qu'il s'était fait avoir par sa sœur, qu'elle l'avait manipulé avec une dextérité digne de son admiration. Magnanime, il ne voulut point la dépouiller de sa palme.

«Ne regrette rien, sœurette, répondit-il. Je méritais tout ce que tu m'as dit, et peut-être davantage. Personne ne m'a jamais parlé comme ça auparavant. C'est vrai que je ne l'aurais pas accepté. Mais je savais bien que quelqu'un finirait par me tenir tête. C'est fait et je suis heureux que ce soit toi.»

Pour toute réponse, Anne, réprimant mal son contentement, lui plaqua une bise sur les deux joues et s'enfuit. Mathieu se figea un instant sur son siège et laissa échapper un «fichtre!» sourd, mais apercevant Jouve qui apparaissait sur le seuil de la porte, il se ressaisit et se porta à sa rencontre.

«Tiens, tiens! voilà notre tombeur de femmes, lui dit-il en reprenant une expression qu'utilisait souvent son père. Je ne te connaissais pas un tel talent pour faire la conquête des filles.»

Jouve ne savait si Mathieu se payait sa tête ou s'il parlait sérieusement, ayant décelé dans son ton une absence de malice qui l'étonna. Méfiant tout de même, il choisit la voie de la prudence :

« Il ne faut rien exagérer. Je voudrais que tu aies raison. Quoi qu'il en soit, nous avons des choses plus importantes à faire que de penser aux filles, ajouta-t-il sans croire un seul mot de ce qu'il disait.

— Quelles choses ? demanda Mathieu, intrigué.

— Quoi ! tu as déjà oublié ? reprit Jouve. Et ce voyage de reconnaissance à l'autre bout du lac ?

— Rassure-toi, je n'ai rien oublié du tout. Comme convenu, c'est cet après-midi que nous allons rendre visite aux *cristeros*. Il est déjà une heure. Nous n'avons pas de temps à perdre. C'est Anne qui m'a accaparé. Nous avons eu une longue et très intéressante conversation.

— Ah oui ! fit Jouve, la voix neutre, en évitant le regard scrutateur de Mathieu. Raison de plus alors pour partir sans tarder. Ton père pourrait arriver et réclamer le canot à moteur.

— C'est impossible. Il doit aller en dehors de la ville et il ne sera pas de retour avant la fin de l'après-midi. »

Un lourd soleil chauffait à blanc les madriers gris du quai à travers les interstices desquels, à l'avant, l'eau giclait chaque fois que venait mourir dans un bruit de succion une vague un peu forte. Dans les massifs d'arbrisseaux le long de la berge, les cigales s'étaient tues, vaincues par la chaleur et regrettant leur état larvaire dans la fraîcheur du sol. Sur le lac, c'était le calme plat de l'heure du déjeuner. Il y avait bien deux pêcheurs en face, dans un creux de la presqu'île, mais, ramassés dans leur frêle embarcation, ils faisaient si bien corps avec l'eau qu'ils semblaient appartenir au paysage. La paix de cette nature alanguie n'était déchirée de temps à autre que par le craillement discordant des corneilles au-dessus de la forêt auquel répondait, parce qu'il n'arrivait pas à se débarrasser des mouches piqueuses assaillant son poitrail, un taureau qui beuglait désespérément.

Une fois installé à l'arrière du canot, la main sur le démarreur du moteur, Mathieu revint à la charge au sujet de sa sœur :

« Tu sais, Jouve, elle est bien, ma petite sœur. Comment ai-je pu la méconnaître si longtemps ! »

Jouve, dont les lèvres dessinèrent un sourire gêné, continua de pagayer afin d'éloigner l'embarcation du quai.

17

Pendant longtemps, Mme Marans n'avait pas porté sa belle-famille, particulièrement ses beaux-frères et ses belles-sœurs, dans son cœur. Dans les premiers mois de son mariage, elle ne s'était point gênée pour faire sentir à Antoine que ses frères et ses sœurs la laissaient indifférente. Le premier contact qu'elle avait eu avec eux s'était d'ailleurs soldé par un désastre, ceux-ci, par leurs longs silences entrecoupés de petits rires pincés, lui reprochant ses grands airs et son langage de la ville, elle, les trouvant tous un peu trop paysans et frustes, terriblement provinciaux, en bref, au-dessous de sa condition. De rares rencontres au fil des ans ne firent que la confirmer dans ses impressions initiales et la rendre imperméable aux efforts de médiation d'Antoine, à ses appels à la tolérance. La situation, qui le peinait, était peut-être insoluble.

Les vrais mobiles de nos actes ne sont-ils pas souvent dissimulés derrière une façade d'autant plus facile à ériger qu'elle répond à une nécessité instinctive. C'est ainsi que l'agitation, la méfiance, et même l'antipathie, qui avaient marqué l'accueil fait à Rose, étaient la chose la plus normale de la part de ruraux suspicieux de nature et prévenus contre toute personne issue d'un autre milieu que le leur. De même, l'infatuation de Rose ne pouvait que transparaître avec force en présence de gens qu'elle avait le sentiment d'élever. Elle croyait sincèrement qu'elle faisait une faveur à la famille Marans en y entrant et s'attendait en conséquence à une certaine reconnaissance, à une forme d'attention particulière. Celle-ci ne vint pas. Déçue, mais non blessée, elle ne vit dans la froideur de ses beaux-frères à son égard, dans la suspicion de ses belles-sœurs que le signe de leur ignorance paysanne.

L'affaire fut vite classée et Rose les raya de son esprit. Au début, le fait que sa belle-famille demeurait loin de Montréal, à Angers, près de Hull, puis à Portage-du-Lièvre, plus au nord, n'avait pas facilité les visites de part et d'autre. Plus tard, quand Antoine amena sa famille à Val-des-Ormes et qu'Alexandre, son frère aîné, l'aida à s'installer et lui envoya ses premiers clients, Rose fut bien obligée de le recevoir avec son épouse. Mais sa bienveillance se termina dès qu'elle sentit qu'Antoine pouvait se passer de son frère. La façon dont elle s'y prit fut on ne peut plus simple : elle décida de snober la femme d'Alexandre et mit dans l'opération une cruauté qui parut d'autant plus excessive qu'elle était inutile. D'origine modeste, plus à l'aise devant ses chaudrons de cuivre que derrière un éventail en ivoire, la femme d'Alexandre souffrait le martyre chaque fois qu'elle avait à accompagner son mari chez sa

184

belle-sœur. Aussi ne s'offusqua-t-elle pas le moins du monde lorsqu'elle comprit que Rose désirait l'écarter. Elle manifesta sa joie à Alexandre qui, sur-le-champ, coupa tous liens avec la femme de son frère. Les deux frères continuèrent de se voir mais en dehors de la maison, à l'hôtel de l'un et à la quincaillerie de l'autre.

Cependant, si son égocentrisme ne l'avait pas aveuglée, Rose eût pris conscience qu'elle avait, dès la première rencontre, subjugué littéralement ses beaux-frères. Sa beauté blanche de fille élevée en serre chaude, la troublante clarté de ses yeux bleus, l'effilé de sa taille qu'affirmaient éloquemment des robes de tissu fin et de la meilleure coupe les avaient laissés le souffle coupé. Ils en voulurent à Antoine d'avoir fait la conquête d'une jeune fille si racée, si différente des paysannes de leur patelin, mal fagotées, aux mains gercées et couvertes de cals. Ne pouvant clamer leur dépit, ils simulèrent une grande indifférence à son endroit et, lorsqu'ils parlaient d'elle entre eux, elle n'était que « cette femme » ou « la femme d'Antoine », jamais « notre belle-sœur », ou plus familièrement « Rose ». À travers celle-ci, c'était Antoine que les frères visaient. Ils lui faisaient grief d'avoir abandonné la famille à 16 ans quoiqu'ils l'admirassent secrètement pour avoir eu le courage de secouer le joug parternel. Qu'il eût, au surplus, fait une réussite de sa vie en ne comptant que sur ses seuls moyens, alors qu'eux demeuraient sous la dépendance financière de leur père, n'était pas de nature à le faire aimer. Peu de frères acceptent de se faire surpasser par le plus jeune de la famille.

Lorsqu'Antoine, profitant d'un voyage d'affaires à Ottawa, poussait une pointe jusqu'à Portage-du-Lièvre, ses frères avaient l'impression, en le voyant apparaître dans l'allée de tilleuls, et, une fois arrivé, descendre de la voiture le cigare à la bouche et le chapeau melon à plat sur la poitrine, qu'il venait les narguer. D'une visite à l'autre, la qualité de ses costumes s'améliorait et ses cigares s'allongeaient. M. Marans père auquel n'échappait aucune des manigances de ses fils riait sous sa longue barbe de patriarche et était flatté par le succès de son benjamin, sentant qu'ils étaient tous les deux taillés dans le même bois.

M. Marans père avait été très surpris le jour où Antoine lui avait demandé s'il pouvait partir et chercher du travail ailleurs. Comment aurait-il pu dire non ? À l'époque, il exploitait à Angers, près de Hull, la terre que lui avait léguée son père. Si elle lui permettait de joindre les deux bouts et d'assurer à sa famille le pain quotidien, elle n'était pas assez grande pour être lotie plus tard entre ses fils. Quant à obtenir des lots pour eux, il valait mieux l'oublier : le gouvernement, malgré ses belles déclarations sur l'importance et les bienfaits de la colonisation, favorisait les marchands de bois et leur réservait les meilleurs lots, c'est-à-dire les plus boisés.

Le grand problème de M. Marans père était donc de caser ses fils. À défaut de pouvoir cultiver leur propre lot, ils pourraient toujours aller travailler dans l'un ou l'autre des nombreux chantiers forestiers installés le long de la Gatineau et de la Lièvre, mais M. Marans, qui nourrissait pour ses fils d'autres ambitions, refusait

186

d'envisager cette possibilité. Fortement impressionné par le nationalisme prêché par le député de la circonscription de Labelle, Henri Bourassa, il voulait que ses fils restassent indépendants et n'eussent pas à dépendre pour leur gagne-pain des compagnies étrangères — américaines ou anglaises — qui contrôlaient l'industrie du bois et l'aménagement des sources d'énergie hydraulique de la région.

Son sentiment de fierté nationale, d'appartenance à un pays immense que ses ancêtres français, originaires de la région de La Rochelle, avaient contribué à coloniser et de qui leurs nombreux descendants tenaient leur farouche indépendance d'esprit et un sens aigu des libertés individuelles, c'était à sa mère qu'il le devait. Cousine de Jean-Olivier Chénier, l'infortuné héros de la bataille de Saint-Eustache, elle aimait les soirs d'hiver, lorsque, dans le froid hyperboréen de janvier, des bourrasques s'amusaient à déplacer les lames de neige poudreuse formant une cuvette autour de la maison en pierre des champs que ne protégeaient pas encore de grands arbres, s'installer devant l'âtre avec ses enfants, le bébé sur ses genoux et les autres accroupis à ses pieds, et leur raconter pour la nième fois, de sa voix posée et mélodieuse d'ancienne institutrice à l'école primaire, le sacrifice du jeune médecin de 31 ans.

Les plus jeunes, vite engourdis par la chaleur et étourdis par le sifflement du vent que répercutaient en l'amplifiant les parois de la cheminée, ne tardaient pas à s'endormir et n'entendaient jamais la fin de l'histoire. Ce n'était pas le cas de François-Xavier, l'aîné de la famille, qui buvait les paroles de sa mère.

Celle-ci n'aimait guère s'étendre sur les détails les plus macabres de l'assaut décisif des troupes de Colborne contre l'église de Saint-Eustache où s'était barricadée une soixantaine de patriotes sous le commandement du docteur Chénier. Cachant les larmes qui alourdissaient ses paupières, elle se contentait de mentionner que Jean-Olivier avait été finalement forcé de céder la place avec ses hommes et que c'était en s'éloignant en direction du cimetière, après avoir sauté d'une fenêtre du chœur, qu'il avait reçu deux balles, la dernière en pleine poitrine.

Au lieu de répondre directement aux questions qu'infailliblement lui posait son fils, Mme Marans élargissait le cadre de son récit et y introduisait une toile de fond patriotique. Son mari, qui rentrait de l'étable à ce moment, venait s'asseoir près d'elle en face du feu. Sollicitant son approbation, elle expliquait avec des mots très simples les vraies raisons de l'insurrection et les griefs exacts des Canadiens envers l'administration anglaise et ses bureaucrates tatillons, mesquins, injustes et arrogants. Ces explications, c'était avec sa tête que François-Xavier les écoutait et l'attention, feinte ou réelle, qui assombrissait les traits de son visage, semblait être une façon de montrer à son père qu'il comprenait très bien le sens des propos de sa mère. C'était toutefois le cœur et la tripe de son fils que celle-ci atteignait lorsque, passant du général au particulier, elle relatait la grande désolation des campagnes dans les années qui avaient précédé la révolte armée des patriotes, et qu'elle évoquait, avec des exemples puisés dans la région de Saint-Eustache, le dénuement et l'insécurité des colons et de leurs familles.

«Mon grand, remercie le ciel de ta bonne fortune, lui répétait-elle. Tu ignores ce qu'est la famine. Tu ne peux même pas imaginer les sentiments de dégoût qui pouvaient saisir une famille obligée de se nourrir jour après jour de racines et d'herbes bouillies. J'ai vu dans ma jeunesse des cultivateurs loqueteux, les traits creusés par les jeûnes forcés et les longues marches dans des sentiers boueux, s'amener dans le « magasin général » de papa — ton grand-père — pour troquer quelques bottes de carottes, leur première récolte, contre une livre de gros sel afin de rendre moins indigestes les potages de feuilles et de carcasses de marmotte qui composaient leur ordinaire.

— Mais pourquoi en étaient-ils réduits à cette misère ? demandait inlassablement François-Xavier. Ne pouvaient-ils pas cultiver la terre, élever du bétail ?

— Ils y arrivaient éventuellement, s'ils n'étaient pas morts auparavant, répondait son père. Les plus belles terres, celles qui bordaient les domaines seigneuriaux par exemple, leur étaient refusées, de même que les terres de la Couronne. Il ne restait aux Canadiens que deux possibilités, soit de s'exiler dans des cantons reculés où n'existait encore aucune voie de communication, ou de s'établir comme *squatters* sur des lots en friche qu'ils déblayaient et cultivaient pour se les voir enlever plus tard, une fois que leur subsistance était assurée. »

C'était sur ces images d'un passé à l'époque pas si lointain qu'il regagnait la chambre froide des garçons. Devenu adulte et père de famille, François-Xavier, qui n'oubliera jamais les leçons de patriotisme reçues de sa mère, voudra à son tour rappeler à ses enfants les événements de 1837 et de 1838 mais ceux-ci n'éveillaient plus aucune passion. Les temps avaient changé et un nouveau siècle dont un Premier ministre devait annoncer qu'il serait celui du Canada, achèvera d'effacer de la mémoire collective le souvenir des patriotes. La ferveur « saint-eustachiste » de M. Marans restera donc sans écho dans sa propre famille.

En grandissant, ses fils seront plus près de Laurier que de Bourassa. Antoine lui-même, lorsque sa situation économique l'obligera à fuir Montréal pour aller vivre à Val-des-Ormes, ville située dans le comté représenté à Ottawa par Bourassa, ne se résoudra jamais à voter pour le tribun nationaliste, un infatigable polémiste et un farouche adversaire de l'impérialisme britannique. Antoine restera « rouge » jusqu'à sa mort et sera profondément choqué lorsque Gédéon, l'aîné de ses fils, reviendra d'un séjour de vacances chez son grand-père avec dans la bouche un langage venu tout droit de 1837. François-Xavier pouvait mourir en paix ! La tradition était sauve. Antoine prit finalement le parti d'en rire : l'affaire était évidemment un coup monté par son père. Cette soudaine découverte par Gédéon du nationalisme saint-jean-baptistard des années vingt lui parut au fond un juste retour des choses. Par personne interposée, le grand-père transmettait à son fils un double message : qu'il avait trouvé dans son petit-fils le fils spirituel absent dans sa progéniture, et qu'il n'avait pas été dupe de la profession de foi nationaliste qu'Antoine lui avait servie jadis pour obtenir de lui la permission de quitter le foyer.

190

En effet, pour fléchir son père, Antoine n'avait pas hésité à faire vibrer la corde nationaliste. En se remémorant la scène tandis qu'il filait vers le chalet, il avait l'impression qu'elle s'était passée hier. Et pourtant elle remontait à quarante ans en arrière. Souvent, lorsqu'il était seul en voiture comme aujourd'hui, il la laissait surnager dans sa mémoire, aimant en revivre tous les instants. Une cassure s'était produite dans sa vie ce jour-là : assumant sa condition d'homme, il avait pris résolument en main son destin. Il n'avait jamais regardé en arrière ni regretté quoi que ce soit.

La première réaction de son père avait été très négative. Outre que le geste d'Antoine le blessait, il ne pouvait admettre que de tous ses fils ce fût le plus jeune qui voulait partir. « C'est précisément pour ça, père, que je dois prendre la route, plaida-t-il. Quel avenir y a-t-il pour moi sur la ferme ? Il n'y a plus de place. Je veux étudier la comptabilité et apprendre l'anglais dans l'unique but de me lancer plus tard en affaires et d'éviter d'avoir à travailler pour des maîtres de langue anglaise. Votre monsieur Bourassa ne trouverait rien à redire à cela. »

M. Marans père sourit et s'inclina. Présenté ainsi, le départ de son benjamin ne lui apparut plus comme une fuite. Antoine ne fut pas explicite sur ce point mais il n'avait nullement l'intention de revenir à Angers : il voulait sortir de son milieu et aller travailler à la ville. Les travaux de la ferme n'exerçaient sur lui aucune séduction.

La veille du départ, M. Marans prit son fils à part et eut avec lui un long entretien au terme duquel il lui dit, la voix coupée par l'émotion :

191

«Mon fils, je suis peiné que tu sois forcé en quelque sorte de t'éloigner de nous. Tu es si jeune! Mais n'ayant rien à t'offrir ici, tu as sans doute raison de vouloir bâtir ton avenir sur des bases plus solides. Je n'ai qu'un conseil à te donner: aime ton pays, secours tes compatriotes et défends toujours leurs droits. Que Dieu te garde!»

18

Le siècle avait deux ans lorsqu'Antoine partit de bon matin après la moisson. Un brouillard clairsemé nappait la vallée de l'Outaouais qui s'étendait à perte de vue devant lui. Du sol nu, délesté de sa herse d'épis d'or, s'échappaient de fortes odeurs de mûri, filtrées par la fraîcheur matinale. Aux abords d'un bâtiment de ferme longeant la route, des hirondeaux s'exerçaient à voler sous l'œil attentif de leurs parents et le gazouillis de quelques hirondelles voisines venues apporter leur soutien et partager la joie commune. L'un des petits éprouvait-il une faiblesse soudaine, le trissement de la mère fendait l'air tout aussitôt et l'oisillon en danger regagnait le nid sous le larmier du toit.

Dire qu'Antoine n'avait pas le cœur gros serait lui attribuer une force de caractère que son âge, seize ans, et son inexpérience de la vie ne lui avaient pas encore permis d'acquérir. Mais l'homme s'incarnait déjà dans l'adolescent : il avait retenu ses larmes et, suivant une résolution longtemps mijotée dans sa tête, il ne s'était pas retourné une seule fois. Aucun autre geste ne pouvait mieux à ses yeux consommer la rupture nécessaire entre son passé immédiat et l'avenir qui l'attendait, et symboliser en même temps sa volonté d'émancipation familiale, indispensable, croyait-il, à la réalisation de ses ambitions. Le pas plus ferme maintenant que les limites d'Angers étaient derrière lui, Antoine s'engagea sur la route graveleuse en direction de Hull. Au-delà de la plaine, là-bas, les premières lueurs de l'aurore étoilaient la surface laiteuse de la rivière des Outaouais.

Antoine avait seize dollars en poche et, outre sa valise en osier contenant ses effets, il emportait sa plus précieuse possession, un violon, cadeau de son grand-père paternel. (Une quarantaine d'années plus tard, Gaby, le deuxième de ses fils, sera un peu plus argenté lorsqu'il fera son baluchon et ira courir l'aventure, mais au lieu d'un violon, ce sera une guitare qu'il portera en bandoulière, guitare qu'il aura achetée, au reste, avec ses propres économies, son grand-père à lui ne trouvant pas que c'était un instrument assez noble !)

À mi-chemin, après quelques heures de marche, il s'arrêta dans un coin ombragé sur la berge de la rivière Blanche, un affluent de l'Outaouais. L'endroit lui était connu : il y venait parfois avec ses frères pour pêcher la truite mouchetée. Son repas, qui se composait de pain avec de la graisse de porc et de petits concombres cueillis le matin même, fut vite expédié, car il avait hâte de poursuivre son chemin. Le pis était passé et il n'avait plus peur désormais de regarder en arrière. Cependant, un petit incident le replongea momentanément dans son milieu familial. En fouillant dans la poche intérieure de sa veste, sa main rencontra un objet plat qui crissait presque au toucher : c'était un billet de cinq dollars tout neuf. D'abord intrigué par cette découverte, il se rappela l'air malin de sa mère au moment où elle lui avait rapporté sa veste, après l'avoir brossée vigoureusement. « Chère maman, se dit Antoine avec un serrement au cœur, que je vous reconnais bien dans ce geste ! Que d'économies avez-vous dû vous imposer pour amasser une telle somme ! »

Il fit le reste de la route en charrette ; un cultivateur, qui se rendait à Ottawa pour livrer un chargement de légumes à un grossiste, l'avait en effet invité à monter à bord. La nuit venue, il alla dormir sur une banquette de la gare Union et, le lendemain matin, il prenait le train pour Montréal.

Ce fut une révélation. Il n'eut pas assez de ses deux yeux pour découvrir et admirer les merveilles de la grande ville. Avec la complicité de l'oncle qui l'hébergeait, il retarda de trois jours son départ pour Sherbrooke, sa destination finale. Tout le fascina : la cohue de piétons sur les trottoirs et l'encombrement de la chaussée par des véhicules de toutes sortes, depuis les tramways jusqu'aux premières voitures motorisées, la diversité des boutiques et la richesse des grands magasins, l'omniprésence des églises et l'élégance des places. Le dernier jour, se hasardant à prendre le tramway pour se rendre dans l'ouest de la ville, il descendit à l'intersection des rues Sainte-Catherine et Peel, déjà un carrefour des plus animés. Le contraste avec la partie est de Sainte-Catherine qu'il venait de quitter le frappa. Il eut soudainement l'impression de baigner dans une ambiance pour lui encore étrangère : les passants qu'il croisait conversaient entre eux en anglais et, dans les magasins où il alla flâner, les clients s'adressaient aux vendeurs dans cette langue. Loin de freiner son enthousiasme, cette constatation ne fit que le confirmer davantage dans sa résolution d'apprendre et de maîtriser l'anglais. Entendre cette langue lui parut alors d'autant plus nécessaire qu'il avait l'intention de revenir vivre dans la métropole du Canada.

Que le Montréal économique et commercial fût fortement dominé par une bourgeoisie marchande anglo-saxonne ne faisait à Antoine ni chaud ni froid : ce qui importait pour lui, c'était de concurrencer celle-ci à armes égales sur son propre terrain. Qu'il fallût pour cela emprunter son langage et ratisser le champ de son expérience collective lui semblait quelque chose de secondaire, tout au plus une étape dans la lutte qu'il engageait pour conquérir sa place au soleil. De son enfance terrienne il retenait au moins une leçon : pour récolter, il faut ensemencer. Pour lui, les semailles ne faisaient que commencer. Elles seraient peut-être longues. Et puis après ? À la récolte de juin, fragile et de si courte durée, il préférait la moisson abondante de la fin de l'été que l'on engrange pour l'automne et l'hiver.

Les semailles durèrent dix ans. C'est à l'âge de vingt-six ans, en effet, qu'Antoine vint s'installer pour de bon à Montréal. Devant le jeune homme grave et déterminé, sûr de ses moyens et prêt à prendre tous les risques, Montréal n'avait qu'à bien se tenir. De taille moyenne, le dos légèrement voûté par l'habitude des écritures, la moustache noire finement découpée, en brosse, avec comme atout majeur des yeux de braise, énigmatiques et profonds comme un puits, qui, au choix, subjuguaient les cœurs ou terrassaient les volontés, il inspirait confiance au premier contact et savait rassurer ceux qui cherchaient son conseil. Le seul trait paysan qu'il avait conservé était sa répugnance à parler pour ne rien dire, considérant qu'il existait entre le silence et la parole la même concomitance qu'entre la forme et le fond, en sorte que pour le comprendre parfaitement il fallait accorder autant d'importance à ce qu'il ne disait pas qu'à ce qu'il disait. En d'autres termes, l'écoute de ses paroles devait se prolonger par celle de ses silences, sans quoi l'interlocuteur restait sur sa faim, quand il ne manquait pas l'essentiel de la conversation.

Antoine n'avait point perdu son temps à Sherbrooke. À son arrivée, il avait pris pension chez deux vieilles dames anglaises qui lui avaient été recommandées par le curé d'Angers, lui-même originaire de la métropole des Cantons de l'Est, et qui s'étaient fait un plaisir de lui enseigner les mystères de la langue anglaise. Travaillant dans une banque le jour et étudiant la comptabilité le soir, il se retrouva au bout de cinq ans directeur adjoint de la succursale et expert-comptable. À ce stade de sa carrière, il jugea qu'il devait élargir son champ d'expérience, les arcanes de la banque ne lui réservant plus aucune surprise. Il passa donc à l'emploi d'une quincaillerie, la plus importante de Sherbrooke, comme acheteur principal. À la fin d'une autre phase de cinq ans, c'était le commerce de la quincaillerie qui lui avait dévoilé ses secrets. La période des semailles était terminée.

Antoine avait des économies : 5 000 dollars ; et il savait exactement ce qu'il voulait : une quincaillerie à lui dans l'est de Montréal. Il n'eut pas à chercher bien longtemps avant d'acheter le fonds de commerce d'un quincaillier miné par la goutte qui rêvait de retraite. L'affaire, sise rue Sainte-Catherine près de la rue d'Iberville, était, quoique de taille modeste, très saine et bien implantée dans le quartier. En outre, des relations qu'il avait conservées dans les milieux bancaires lui conseillèrent de ne pas laisser échapper une telle occasion. Le contrat de vente ne prenant effet que deux semaines plus tard, il profita de ce répit pour se rendre à Thetford-Mines et se marier avec Rose. Après une voyage de noces sur la côte de l'Atlantique, il revient à Montréal où les nouveaux mariés emménagèrent dans un confortable logis, rue Garnier.

Quoique le moment choisi par Antoine pour devenir commerçant — son enseigne toute neuve, en forme de blason, proclamait orgueilleusement en lettres d'or sur fond rouge vif : Antoine Marans, marchand quincaillier — ne fût pas des plus favorables, une dépression économique, particulièrement ressentie dans une ville industrielle comme Montréal, ayant ralenti considérablement les affaires, il neutralisa en quelque sorte les effets de cette diminution de l'activité commerciale par une rationalisation poussée de son entreprise, un rajeunissement et un élargissement des stocks, et une habilité rare à prévoir les besoins de la clientèle, toutes choses que l'ancien propriétaire,

198

bien connu dans le quartier, ne s'était pas donné la peine de cultiver. Dans l'immédiat, la consolidation de l'entreprise n'augmenta pas sensiblement sa marge bénéficiaire, mais elle permit à Antoine, après la déclaration de guerre à l'Allemagne, qui survint en août 1914, soit moins de deux ans plus tard, de s'ajuster instantanément à la nouvelle conjoncture et de profiter des retombées économiques que la mobilisation générale de l'industrie, ordonnée par le gouvernement canadien, allait entraîner.

Cette mobilisation fut énorme. Du jour au lendemain, l'activité industrielle du Canada fut réorientée vers la production massive de matériel de guerre et la fabrication accélérée de l'équipement des milliers de soldats recrutés par le ministre de la Milice pour service outre-mer, en réponse à l'appel du gouvernement impérial. Il fallut en même temps donner suite aux commandes d'armes et de munitions qui commençaient d'affluer des puissances alliées.

Antoine était trop futé pour laisser passer une telle manne de gains possibles, d'autant que la reprise des affaires eut des effets immédiats dans le sud-est de la ville où étaient établis les vastes usines Angus qui, à leur production courante mais augmentée de matériel de chemin de fer, avaient ajouté celle des obus, et les chantiers maritimes de la Canadian Vickers qui s'étaient engagés dans un ambitieux programme de construction de navires et de sous-marins. Un an plus tôt, alors que les possibilités d'une guerre européenne apparaissaient bien lointaines, Antoine avait pris la précaution, malgré sa sympathie secrète pour

Laurier, défait aux élections fédérales de 1911, de nouer des relations avec les milieux conservateurs de Montréal, s'étant avisé qu'en affaires il fallait avoir ses entrées dans les cabinets ministériels, fussent-ils « rouges » ou « bleus ».

Comme la plupart des autres marchands de la rue Sainte-Catherine, Antoine vit par suite de la reprise économique son chiffre d'affaires monter en flèche. L'afflux de travailleurs de toutes sortes, aussi bien d'ouvriers spécialisés dont les usines s'arrachaient les services que de manœuvres, parmi lesquels, la veille, quantité vaquaient encore aux travaux de la ferme dans quelque bourg perdu des Laurentides ou du Saguenay, sans oublier ces femmes mariées — encore peu nombreuses — et ces milliers de jeunes filles, les unes comme les autres désireuses, dans ce temps troublé où tout était permis parce que plus rien ne paraissait devoir durer, de sortir du foyer et de toucher un salaire, et aussi ces centaines d'adolescents, hier aux études, trop heureux de jeter par-dessus bord manuels et encriers pour remplir les emplois beaucoup moins bien rémunérés que refusaient leurs aînés, en bref, la concentration d'une telle masse de gens dans les rues de l'est de la ville et l'argent dont ils disposaient maintenant pour satisfaire tous les besoins et tous les caprices engendrés par leur nouvelle condition sociale, transformèrent cet arrondissement paisible et replié sur lui-même, encore tout pénétré de la douceur de vivre sous le signe de laquelle la première décennie du XXe siècle s'était déroulée, en un centre de commerce actif, coloré et diversifié, lequel, même s'il ne pouvait dans l'immédiat rivaliser avec l'ouest, commençait à avoir un caractère propre et accueillant.

Les pièces de monnaie qui tombèrent dru dans les tiroirs-caisses des boutiquiers arrivèrent à point nommé : plusieurs d'entre eux, qui avaient envisagé de vendre quelques mois auparavant de peur d'avoir plus tard à déposer leur bilan, si la situation économique ne se redressait pas, furent sauvés de la ruine. Antoine, quant à lui, doubla la superficie de son magasin, afin de mettre sa marchandise plus en évidence, et ajouta la vente de matériaux de construction en louant dans la rue de service, à l'arrière, un bâtiment désaffecté qu'il transforma en entrepôt. Parce que ses seuls profits ne lui permettaient pas de financer tout son programme d'agrandissement, il se dit qu'il n'était pas plus bête que d'autres hommes d'affaires roulant carrosse depuis le début de la guerre, et qu'il pouvait bien comme eux décrocher quelque contrat de fourniture aux armées, la nature de celle-ci restant à déterminer. De fait, il avait déjà un projet en vue. L'un de ses plus importants fournisseurs, avec lequel il avait d'ailleurs des relations d'amitié, fabriquait des bidons en fer-blanc de dimensions variées pour usage domestique et industriel ; l'un de ces récipients, de la contenance d'une pinte et se portant en bandoulière, faisait office de gourde et était fort apprécié par les chasseurs, les pêcheurs et les bûcherons.

Après s'être assuré qu'un tel objet entrait dans l'équipement du soldat, Antoine obtint facilement, en faisant jouer ses appuis dans le parti conservateur, l'exclusivité de la fourniture de gourdes à la toute nouvelle base militaire de Valcartier près de Québec, laquelle s'apprêtait à recevoir ses premières recrues. Contrat en main, il approcha son fabricant de bidons qui d'abord refusa net, parce qu'il n'aimait guère forcer la cadence d'un produit et avoir à freiner la fabrication des autres, risquant fort dans une affaire de ce genre, au mieux, provisoire, au pis, aléatoire, de perturber son marché normal. Antoine le laissa parler : il le connaissait. Ce n'était plus l'ami qu'il avait devant lui mais l'homme d'affaires rusé qui essayait d'évaluer la montagne de dollars qu'une telle vente lui rapporterait, tout en se mordant les doigts de ne pas y avoir pensé lui-même, ce qui lui aurait évité de partager les bénéfices avec un autre.

L'arrangement auquel les deux compères en arrivèrent sans qu'il lui rapportât une fortune permit à Antoine d'éponger toutes ses dettes et d'être en position, quand vint la fin de la guerre, de traverser aisément les mois creux qui suivirent. Toute compte fait, nonobstant, l'expérience laissa Antoine un peu amer. « J'ai raté là la plus belle occasion de ma vie », se répéta-t-il, chagrin, comme sa voiture parvenait au sommet de la colline dominant la baie des Ormes. « J'aurais pu conclure d'autres marchés avec le ministère de la Milice. Je me suis trop vite reposé sur mes lauriers. Si j'avais agi avec diligence je n'aurais pas perdu le contrat pour la fourniture des gamelles. Rose ne m'en a jamais fait reproche, mais c'est à cette époque qu'elle a commencé à perdre sa foi aveugle en mes talents d'hommes d'affaires. Bah ! voilà que j'exagère de nouveau. J'ai tout de même fait mon chemin. Ma famille n'a jamais manqué de rien. »

19

Après un stop pour laisser passer un mouton égaré qui cherchait le reste du troupeau, la voiture entreprit, très lentement en raison de l'état cahoteux du chemin, la descente vers le lac. Antoine restait néanmoins convaincu qu'il avait, avec cette affaire de gourdes, accompli un joli coup. Pour se le prouver encore une fois, sa pensée retourna en arrière au printemps de 1922, à un moment où sa réussite professionnelle avait paru la plus achevée.

C'était la veille de Pâques. Antoine, qui venait d'acquérir une nouvelle automobile, une grosse berline de fabrication américaine, proposa à Rose une visite à Portage-du-Lièvre, où M. Marans père habitait depuis qu'un affaissement de terrain avait englouti dans la rivière du Lièvre une partie de ce paisible village de l'intérieur, blotti contre le versant occidental d'une douce colline de bouleaux et de mélèzes, à une vingtaine de milles au nord de Buckingham. Plusieurs années auparavant, le père d'Antoine, trop à l'étroit sur sa terre d'Angers coincée entre la route nationale et la voie ferrée, s'était résigné à envisager un déplacement vers le Nord, où il pourrait plus facilement établir les fils restés à la maison.

Au lendemain de l'éboulement, il apprit que la ferme des Pins, un vaste domaine bordant la Lièvre à l'entrée du village, était à vendre, son propriétaire, avancé en âge et encore ébranlé par la catastrophe, désirant quitter les lieux pour se retirer à la ville. M. Marans acheta sans hésiter, d'autant que sa terre d'Angers, qui avait acquis une plus-value avec les années, lui rapporta à la vente un prix dépassant toutes ses espérances. Non seulement put-il payer rubis sur l'ongle, mais il lui resta assez d'argent pour construire une scierie et, surtout, pour prendre le contrôle du seul commerce qui comptait à l'époque dans les villages du Nord : le « general store », ce souk fermé où les marchandises les plus hétéroclites s'alignaient sur les rayonnages des murs latéraux, s'étalaient sur les comptoirs et s'entassaient ici et là, par îlots, sur le parquet à une distance respectueuse de la « truie », ce poêle de fonte à un pont, enguirlandé et solidement planté sur des pattes de biche, qui stationnait au milieu avec son tuyau de tôle vertical coudant à hauteur d'homme et allant s'emboîter dans la cheminée principale à l'arrière. Toutes les odeurs, des plus légères aux plus lourdes, des plus fades aux plus piquantes, circulaient librement en s'entrecroissant, tantôt s'annulant, tantôt se complétant, car, outre les ustensiles et les instruments de toutes sortes pour la maison, la ferme et la forêt, tous objets inodores, la grande salle regorgeait de comestibles et offrait à la vente les épices les plus utilisées. Aussi, il n'était pas rare de voir le tonneau

204

de morue séchée côtoyer le panier de pommes ; le bidon d'huile de lampe, la boîte de biscuits ; la meule de cheddar, la cruche de vinaigre ou d'huile d'olive ; ou encore la poche de gros sel, le pot de bonbons au caramel à un sou pièce. Des senteurs de camphre ou d'alcool à friction stérilisaient parfois l'atmosphère lorsque s'ouvrait l'armoire vitrée, fermée à clef, qui contenait un choix de médicaments usuels n'exigeant pas d'ordonnance.

Le « magasin général » — comme les gens l'appelaient, — à la fois royaume du négoce et de la parlotte, formait avec le vestibule de l'église et la taverne de l'hôtel les trois sommets du triangle social à l'intérieur duquel évoluait la vie collective du village ; l'affluence à chaque endroit était fonction du jour, de l'heure et des besoins à combler.

L'église, bien sûr, accueillait toute la population quoique seules les femmes la fréquentassent quotidiennement, sauf en mai, le mois de Marie, où elles traînaient époux et enfants pour le salut, chaque soir à sept heures ; personne n'échappait à l'obligation d'assister à la messe dominicale, encore que les hommes inventassent toujours quelque prétexte pour rester en arrière et retraiter dans le vestibule au moment du sermon afin de fumer et de parler politique. Hommes et femmes allaient au magasin général mais jamais ensemble et ne s'y croisaient que très rarement, les premiers préférant le début de l'après-midi et de la soirée où, par temps froid, ils échangeaient des pipées et se transmettaient les derniers cancans. De là, les plus audacieux se rendaient à la taverne, lieu jugé mal famé par le curé et honni par les épouses dont l'accès leur était interdit en tant que femmes. L'endroit, comme le confessionnal, inspirait une certaine crainte : on s'y approchait à pas feutrés, en rasant les murs et en masquant sa destination ; et aussi comme le confessionnal, dont elle était la réplique « satanique » pour reprendre le qualificatif qu'affectionnait l'évêque du diocèse pour condamner les débits de boissons, la taverne conservait ses secrets et aucun client, à moins qu'il ne se trouvât dans un état d'ébriété avancé et ne fût, de ce fait, considéré comme irresponsable, ne colportait au foyer les confessions faites entre deux rasades.

Gentleman-farmer, propriétaire du magasin général et patron d'une entreprise de sciage de bois, M. Marans père devint en quelques mois le grand bourgeois de Portage-du-Lièvre. Sa scierie le rendait particulièrement fier et faisait vibrer un tant soit peu sa corde patriotique. Il lui semblait que sa réussite, après toutes ces années maigres au cours desquelles les lendemains n'avaient jamais été assurés, corroborait la rectitude de son credo nationaliste, en même temps qu'elle constituait un hommage à la mémoire de sa mère, la demoiselle Chénier de Saint-Eustache.

Il ne pouvait comprendre pourquoi personne avant lui n'avait eu l'idée d'exploiter sur place, dans le village, les vastes ressources forestières de la région immédiate. Sans vouloir concurrencer les deux principales sociétés d'exploitation — l'une britannique et l'autre américaine — de la vallée de l'Outaouais, implantées depuis longtemps et disposant d'énormes capitaux, il s'employa à répondre au marché local duquel elles se désintéressaient à cause de son manque d'envergure et parce qu'elles exportaient la majorité de leur production aux États-Unis. D'abord tentées d'abattre cet intrus, elles le laissèrent finalement tranquille, après avoir constaté qu'il ne marchait pas sur leurs brisées, et poussèrent même la gentillesse jusqu'à collaborer avec lui à l'occasion, le dépannant s'il manquait d'une certaine essence, ou achetant ses surplus dans le dessein, caché, pensaient-elles, de maintenir les cours. Il y eut bien parfois des accrochages et M. Marans père, qui avait la colère explosive et le langage abrupt des sanguins, parlait alors d'«exploiteurs», mais le mot restait le plus souvent sur le versant interne de ses lèvres.

La moitié des bras libres du village et du canton en vinrent, avec le temps, à dépendre de lui pour leur subsistance quotidienne. Bon an, mal an, il avait besoin de bûcherons en hiver, de draveurs au printemps, et de manœuvres la plupart du temps pour son atelier de sciage. L'argent qu'il versait en salaires à ses ouvriers lui revenait en partie, car ceux-ci achetaient tous à son magasin où ils bénéficiaient d'une remise de 10% ; l'autre partie s'envolait, hélas ! dans la fumée et les fumées de la taverne.

«Quelle misère ! Tout cet argent dépensé en pure perte, gémissait-il devant ses amis, et qui devrait me revenir puisqu'il sort de mon gousset.

— Tu y vas un peu fort, F.-X., observait le curé, son adversaire habituel à leur bridge du samedi soir. Tu ne peux pas tout posséder. L'Évangile enseigne qu'il faut partager.

— Je vous vois venir, mon cher curé. Vous allez encore me dire qu'il est plus aisé pour un chameau d'entrer par le trou d'une aiguille, que pour un riche d'entrer dans le royaume de Dieu.

— Et moi, j'entends déjà ta réplique. Que, sans être pauvre, tu n'es pas riche ; que ce que tu as accumulé est le fruit de ton labeur.

— C'est l'absolue vérité. J'ai sué trente ans sur une terre jusqu'au jour où, en récompense de mes peines, Dieu a voulu — qui d'autre que Lui pouvait en être l'instrument ! — qu'elle me rapporte une jolie somme. Cet argent, je ne l'ai plus : il est dispersé dans le village, il est au service de toute la population. Certes, je vis bien mais ce n'est pas le luxe. Allez visiter la demeure de John Grant à Buckingham et venez me dire après que je suis riche. Toutes mes possessions réunies, ferme, magasin, scierie, représentent à peine le dixième de sa fortune. »

Le curé Toussaint connaissait François-Xavier, son paroissien le mieux nanti, qui payait sa dîme sans renâcler et donnait toujours généreusement à la quête. Il s'était lié d'amitié avec lui alors qu'il était vicaire à Angers. Devenu curé à Portage-du-Lièvre, il avait été l'un de ceux qui avaient encouragé François-Xavier à venir s'établir en ce lieu. Le sachant bouillant et prompt à la riposte, il aimait le taquiner sur sa « fortune » et le faire sortir de ses gonds.

« Là n'est pas la question », interrompit le curé, en prenant à témoins les deux autres compagnons de jeu qui préféraient ne pas intervenir dans la discussion, l'un — un homme d'affaires ambitieux assurant le service de navigation intérieure sur la Lièvre entre Buckingham et Portage-du-Lièvre — parce qu'il se sentait aussi visé par l'admonition du curé, et l'autre, par intérêt, car il était le notaire de François-Xavier. «Et tu le sais bien, F.-X., continua-t-il. Ce qui m'inquiète, ce n'est pas ta situation actuelle: tes entreprises sont on ne peut plus honorables et remplissent un rôle social qui bénéficie à toute la collectivité. Ce qui m'alarme, c'est ta folle idée de vouloir acheter l'hôtel du Chevreuil hardi. Je t'en prie, F.-X., renonce à ce projet insensé sans quoi il te faudra craindre pour ton salut. L'établissement en question est d'abord et avant tout un débit de boissons.

— Et que faites-vous des chambres et de la salle à manger? remarqua le notaire d'un ton qui se voulait le plus objectif mais dans lequel perçait le désir d'être utile à son client.

— Parlons-en des chambres. Il y en a quatre ou cinq, occupées la plupart du temps, je suppose, par des soulards qui vont cuver leur vin et récupérer afin de pouvoir recommencer à boire. Croyez-moi, ce genre d'endroit est un lieu de perdition dont la société peut fort bien se passer et que tout catholique qui se respecte doit s'abstenir de fréquenter. D'ailleurs, je vous le demande, qu'avons-nous besoin d'auberges dans nos paisibles paroisses de campagne? Si elles ne servaient qu'à loger et nourrir le voyageur, je n'aurais aucune réserve encore que, jadis, avant que les traditions d'hospitalité de notre petit peuple ne se perdent, l'étranger de passage eût été reçu chez l'habitant et considéré comme un membre de la famille pour toute la durée de son séjour. Au lieu d'aller

209

noyer dans l'alcool l'ennui que ressent, après la tombée du jour, le voyageur qui se retrouve seul dans une chambre d'hôtel mal éclairée, il partageait les joies et les peines de ses hôtes et échangeait avec eux les nouvelles les plus récentes. En se parlant comme ça, sans façon, devant un bon feu de bûches de bouleaux gris, il n'était pas rare qu'ils ne se découvrissent, qui une parenté lointaine, qui des relations communes. Et l'on apprenait que le cousin Onésiphore, qui avait quitté le village très jeune, était boulanger à Trois-Pistoles, sur la rive sud du Saint-Laurent ; que la veuve de l'agent des terres, retirée depuis quelques années chez sa sœur à L'Épiphanie, près de Montréal, avait trépassé une semaine plus tôt, emportée par la phtisie ; et que Jean-la-trouille, le souffre-douleur local et l'objet de toutes les infamies, avait maintenant pignon sur rue à Québec après avoir épousé une héritière. Je ne connais aucun système de communication de nos jours qui soit aussi efficace, rapide et personnel que celui-là, car l'hôte de passage, non seulement se déchargeait-il sur vous de toutes les nouvelles et de tous les faits divers emmagasinés dans sa mémoire, mais il repartait avec une besace pleine d'informations aussi diverses qu'intéressantes qu'il essaimait ensuite tout le long de la route de retour, en sorte qu'au bout de quelques jours tout Verchères savait que le fils du maire était bûcheron à Portage-du-Lièvre et qu'il célébrait trop Bacchus.

— Tout cela est bien gentil, mon cher curé, mais nous ne vivons plus au XIXe siècle, observa François-Xavier, heureux tout de même que la conversation ait pris une autre tournure. Moi qui vous parle, je ne suis plus une jeunesse : de fait, j'ai vécu les deux tiers de ma vie au siècle dernier. J'accepte toutefois le XXe siècle, les nouvelles réalités qu'il nous impose et qui sont surtout celles de nos enfants. Cet âge d'or de l'hospitalité, que j'ai aussi connu, j'ai bien peur qu'il ne soit disparu à tout jamais. L'auberge fait désormais pendant à l'église, tandis que le journal quotidien prend le relais de la transmission orale, de village en village.

— Consolez-vous, monsieur le curé, on parle de plus en plus d'un autre moyen de communication, ajouta le notaire. Ils appellent cela la T.S.F., la radiotéléphonie. Avec un appareil récepteur chez soi, il est possible de capter des sons, des paroles qui vous viennent d'ailleurs. Si je ne m'abuse, il s'agit là d'un retour à la communication orale. Tout n'est donc pas perdu, après tout !

— Ouais, fit le curé en secouant ses bajoues, j'ai mes doutes là-dessus. Mon journal, je ne peux pas lui parler, mais j'ai devant les yeux un texte écrit que je peux relire, si une première lecture ne me permet pas de comprendre. Votre T.S.F., on ne pourra pas lui répondre ni lui demander de répéter. Après le journal qui, malgré ses avantages, a rendu la conversation inutile, que voilà ma foi une autre invention qui tuera la parole ! Mon Dieu ! où allons-nous ? »

Les déclarations à l'emporte-pièce, les jugements péremptoires, sans appel, du curé sur le siècle signalaient habituellement la fin de la partie. On l'écoutait un petit moment énumérer ses critiques contre le modernisme, puis le notaire ou le maître-bargier lançait un « Déjà onze heures, il faut que je me sauve », observation qui surprenait le curé en pleine envolée et lui faisait répliquer : « Ah ! mon Dieu, j'oubliais mes deux messes de demain matin ! » Autrement, la discussion, ou le monologue plutôt, se serait prolongé au delà de minuit.

Parfois, après le départ de ses deux autres invités, François-Xavier retenait le notaire sur le perron pour l'entretenir d'une affaire pressante. Même étouffées pour ne pas réveiller toute la maisonnée, leurs voix portaient loin dans la nuit claire, au ciel boréal, teintée d'ombres autour des arbres et des bâtiments de ferme. Ils s'absorbaient tellement dans leur conversation et s'intégraient si parfaitement au cadre environnant, d'une sauvage beauté et encore épargné par l'industrialisation, qu'ils remarquaient à peine le concert de bruits discordants, rauques et sinistres des bêtes, celles qui étaient surprises ou dérangées dans leur sommeil, comme le dogue d'Alexandre, frôlé par le chat du voisin et dont l'aboiement, dans la circonstance, était une longue plainte puissante mais reprimée, pleine de hautes et de basses, ou celles qui profitaient de la noirceur pour commettre leurs forfaits, telles le raton laveur fourrageant dans le poulailler, à la recherche d'œufs frais, et qui opposait au gloussement saccadé, rapide, de la poule son glapissement apeuré, ou la chouette qui ululait de désespoir parce qu'un mulot gras et appétissant avait échappé à ses griffes.

Les avertissements du curé sur les périls moraux qu'encourrait François-Xavier s'il s'orientait vers l'hôtellerie, avertissements qu'il n'entendait pas pour la première fois, n'entamèrent pas son dessein même, mais ils l'incitèrent, autant par amitié pour son pasteur que par déférence pour l'autorité religieuse qu'il incarnait, à le mettre en œuvre ailleurs. En effet, dès qu'il eut accumulé un peu d'argent, il fit l'achat d'un hôtel d'une quinzaine de chambres à Val-des-Ormes. À sa grande surprise le curé prit bien la nouvelle et vint même le féliciter. François-Xavier gratta, avec son majeur, sa tignasse poivre et sel que l'approche de la soixantaine n'avait pas clairsemée, tira quelques touffes de sa barbe avec son pouce et son index, toussota légèrement... et comprit! Pareils à ceux d'un enfant, les yeux limpides et francs du curé disaient tout : ils remerciaient la Vierge d'avoir exaucé ses vœux et François-Xavier pour son obéissance. Que celui-ci ait acheté un hôtel dans une autre ville ne le concernait pas : c'était l'affaire du curé de Val-des-Ormes. Lui, il avait charge d'âmes dans les limites de Portage-du-Lièvre, sa paroisse, et ni Dieu ni son évêque ne le rendraient responsable de ce qu'il ne pouvait pas voir. S'il restait encore quelques doutes dans son esprit à cet égard, François-Xavier les dissipa vite en l'assurant que l'établissement en question était un hôtel authentique qui accueillait de vrais voyageurs.

M. Marans père confia à Alexandre l'administration de l'Hôtel du Nord. Il était temps que celui-ci quittât Portage-du-Lièvre car, outre qu'il était à couteaux tirés avec ses deux autres frères qui acceptaient mal son ton protecteur, il ressentait la présence encombrante, quotidienne, de son père dans son existence. Le départ de son aîné arrangeait M. Marans qui put réorganiser ses affaires. Il le remplaça à la tête du magasin par Arthur, le cadet, dont la nature fiable, ouverte, encore que peu entreprenante, s'accommoderait très bien à la vie sédentaire et de tout repos d'un commerçant sans concurrents.

À son troisième fils, Victor-Louis, il remit la direction de la scierie, direction qu'il s'était réservée jusque-là. Sans attaches, farouchement indépendant d'esprit, plus à l'aise dans les chantiers d'abattage de bois, où il avait travaillé pendant de nombreuses années, que sur la ferme où son père aurait voulu le retenir, Victor-Louis dérangeait, inquiétait, provoquait, par le seul fait qu'il était là, si différent des autres, si loin aussi des préoccupations qu'ils pouvaient avoir et qui le laissaient froid. Il connaissait la forêt comme un coureur des bois et l'aimait comme un Indien : c'était son habitat naturel, le lieu privilégié de ses pensées et de ses rêves, le temple de sa foi primitive, personnelle, inconsciemment déiste. Parti une fin d'octobre pour une expédition de chasse de quelques jours, il ne réapparut à la maison qu'un mois plus tard, alors qu'une neige épaisse recouvrait le sol. À sa famille en proie aux plus vives appréhensions, à sa mère qui l'avait cru mort même si elle avait jugé prudent d'invoquer la Sainte Vierge et de faire brûler plusieurs cierges devant sa statue à l'église, il ne fit que répondre : « Qu'aviez-vous à vous inquiéter ? Je n'ai fait que m'écarter de mon chemin pour suivre une piste d'orignaux et explorer un territoire que je ne connaissais pas encore. » À l'exception de sa barbe longue et fournie, ses cheveux hirsutes et ses vêtements sales et fripés, rien dans son allure n'indiquait qu'il avait vécu seul en forêt durant quatre semaines avec des températures souvent au-dessous de point de congélation. «Pour qui l'aime et respecte ses lois et ses hôtes permanents, la forêt est une terre hospitalière et nourricière où seuls les imbéciles et les poltrons peuvent crever de faim et mourir de froid», ajouta-t-il à l'intention de ses parents qui s'étonnaient de sa bonne mine.

M. Marans savait que la scierie, sous Victor-Louis, serait en mains fermes mais il ne put s'empêcher de nourrir quelques inquiétudes sur le style «manière forte» que ne manquerait d'imposer son troisième fils. Il garda ses inquiétudes pour lui, se réservant le droit d'intervenir, le cas échéant.

Et c'est ainsi que M. Marans, qui avait dû, au début du siècle, laisser partir son benjamin, parce qu'il ne pouvait pas lui assurer dans l'avenir un travail à la mesure de ses ambitions, réussit quelque vingt ans plus tard à établir définitivement ses trois premiers fils, en même temps qu'il faisait pratiquement vivre un village et contribuait à la prospérité de toute une région. Sa retraite, à laquelle il commençait à songer, ne pouvait être qu'heureuse et confortable. En ce début des Années folles, après une guerre dont le souvenir, semblable à un coucher de soleil d'août, se noyait dans une explosion de joie et d'ivresse, comment pouvait-il en être autrement ?

20

Si la villa des MacLeod, à cause de la singularité de son style, avait jadis, pour Jouve et Mathieu, constitué un formidable défi à leur imagination enfantine, elle paraissait pourtant bien anodine à côté de la mystérieuse présence à l'extrémité sud-est du lac d'une colonie de Mexicains sur lesquels, faute d'informations sérieuses, couraient des bruits douteux et plus ou moins charitables. À parler franc, personne ne savait exactement pourquoi les Mexicains étaient venus, quelques années plus tôt, s'installer dans un coin aussi perdu et, au surplus, sous une latitude aussi septentrionale par comparaison à la douceur de leur pays d'origine.

Le fait qu'ils vivaient en marge de la population locale et qu'ils quittaient peu leur domaine, sauf, de temps à autre, pour prendre le train de Montréal, obombrait le mince filet de renseignements avérés sur les raisons de leur séjour en terre canadienne. Les mauvaises langues, mises en appétit par l'aisance dont semblait jouir la colonie, prétendaient que le colonel qui la dirigeait, un certain Salvador Bustamante, était en réalité un chef de bande qui, à la suite d'un coup bien réussi, s'était expatrié avec ses hommes et leurs familles afin d'échapper à la justice mexicaine et de goûter en toute liberté au fruit de ses rapines. Certains allèrent même, dans les premiers temps, jusqu'à leur attribuer la responsabilité de deux ou trois cambriolages survenus à Val-des-Ormes. Mais connaissant ceux qui répandaient ces calomnies, les gens sérieux n'y ajoutaient aucune créance; ils préféraient s'en tenir à l'explication, fournie par le député fédéral du comté au moment de l'arrivée des Mexicains, selon laquelle ils avaient été forcés de fuir leur pays à la suite des persécutions contre l'Église, dont ils étaient les fils fidèles. Dans une société où le flambeau de la foi l'emportait encore sur celui de la raison, l'explication avait été bien reçue. Du reste, la présence d'un prêtre parmi eux et la petite chapelle de bois qu'ils avaient construite sur l'emplacement de leur exploitation rurale étaient apparues comme autant d'indices du caractère honorable de leur entreprise.

Utiles certes, ces informations restaient encore trop fragmentaires et ne firent qu'exciter l'intérêt de la population riveraine. À la brunante, quand le serein les sortait de leur torpeur, les curieux aimaient bien aller rôder autour du domaine — qui avait nom *Los Olivos* pour rappeler le jardin des Oliviers — et épier les allées et venues de ses habitants, mais ils en étaient chaque fois pour leur peine. Rien n'étant moins apparent, moins insolite qu'une réussite, ils étaient dans l'impossibilité, faute de pouvoir dégotter quelque anomalie juteuse, quelque singularité troublante, de se mettre quoi que ce soit sous la dent et de nourir la rumeur publique.

Un succès, le domaine de *Los Olivos* semblait en être un incontestablement, et c'était peut-être cela au fond qui agaçait les gens. Il leur était pénible de constater que, dans une région à faible rendement agricole, connue surtout pour ses chantiers forestiers et ses attractions touristiques, des étrangers pussent, en pleine crise économique, s'amener presque au son du tambour et faire surgir, d'une épaisse forêt bordant une partie sauvage et inhabitée du lac des Ormes, une grande exploitation maraîchère et laitière comme n'en existait aucune à cent milles à la ronde, Que ces étrangers fussent, en outre, des Mexicains, c'est-à-dire des Latins du sud, donc des personnes réputées indolentes et frivoles, au caractère ombrageux et violent, leur paraissait tellement anormal qu'il devait forcément y avoir quelque mystère dans toute l'affaire.

Disons-le : bien des aspects de l'entreprise échappaient à toute explication rationnelle. D'où étaient venues, par exemple, les dizaines de milliers de dollars qu'avaient dû coûter le défrichement, le nivellement et l'ameublissement d'un terrain accidenté et boisé qui s'enfonçait d'un bon mille à l'intérieur ? Qui, sinon un Crésus, avait pu ensuite doter les lieux de tous les bâtiments particuliers à une exploitation agricole d'envergure, tels qu'une vacherie dallée pouvant accommoder 200 têtes et équipée d'un système de trayeuses, deux silos à fourrages aussi hauts que le clocher d'une église, et une écurie tout en longueur, bien éclairée, qui n'aurait pas, avec ses stalles blanches, déparée un hippodrome, sans compter une villa principale à deux étages, curieux mélange de styles mexicain et canadien, et quelques hatitations secondaires, disposées en queue d'aronde à l'arrière-plan ? Et il fallait ajouter à cette orgie de dépenses le coût de plusieurs instruments aratoires, et notamment d'une moissonneuse-batteuse-lieuse, une machine qu'aucun fermier du canton n'avait les moyens de posséder.

La réponse à ces questions et à beaucoup d'autres sur *Les Olivos* fut lente à venir non pas parce que ses habitants voulaient dissimuler ce qui pour eux n'avait rien de mystérieux, mais plus simplement parce que personne ne s'était soucié d'aller aux informations. Le premier à lever le voile fut Gaby et il ne le fit que quelques jours avant qu'il ne quittât Val-des-Ormes afin de tenter sa chance ailleurs. Un peu à l'insu de tout le monde il avait été pendant plusieurs mois un visiteur régulier, un hôte fidèle de l'*hacienda*. C'est à la succursale de Val-des-Ormes de la Banque commerciale du Canada où il travaillait comme caissier qu'il avait fait la connaissance du colonel Bustamante et de son officier d'ordonnance, le lieutenant Jose Reyes. Le plus souvent c'était celui-ci qui se présentait une fois par semaine devant son guichet pour des dépôts ou des retraits de fonds, tandis que le premier, qui était le grand responsable du domaine, était reçu par le directeur de la succursale, M. Rivière, avec lequel il traitait de diverses affaires et qui lui accordait volontiers, quand les rentrées tardaient, des ouvertures de crédit. La conférence hebdomadaire des deux hommes s'éternisait quelque peu, car le colonel devait suppléer à la détresse de son français par un anglais fort présentable que le gérant, lui, n'entendait malheureusement pas très bien, en sorte que leur conversation, dans les premiers temps du moins, était plus gesticulée que parlée, au grand amusement des employés et des clients qui pouvaient surveiller la scène à travers les pans vitrés du bureau directorial.

À la caisse, dans l'intervalle, Gaby et Jose s'entendaient comme larrons en foire, la barrière des langues s'avérant insuffisante pour freiner l'enthousiasme de leur jeunesse et cacher les affinités presque palpables qui, au delà de leur surprenante ressemblance physique, forçaient toutes grandes les vannes de la communication. Taille déliée des jeunes gens nerveux et élancés, cheveux charbon et moustache fine et bien découpée, ils ne se différenciaient l'un de l'autre que par la couleur de la peau — mordorée, fort pigmentée chez le Mexicain, — le timbre de la voix — moins chantant et plus contrôlé chez le Canadien, — et leur état civil respectif — le premier, déjà marié, avait vingt-trois ans ; le second, libre et butineur, était à quelques mois de sa majorité.

À sa première station devant le guichet de la banque, à quelque temps de l'arrivée des Mexicains, Jose avait risqué quelques mots de français, qu'il avait entremêlés de « si, amigo » ou de « no, amigo », selon que ses instructions à Gaby étaient comprises ou non. Même comportement dans les semaines qui suivirent. À la dixième visite, cependant, renversement de la situation et des rôles : Gaby, qui s'était mis sérieusement à l'étude de l'espagnol — quelques airs mexicains lui étaient connus depuis plusieurs années — avec l'aide d'un des vicaires de l'évêché, l'abbé Blanche, jadis missionnaire au Pérou, causa une agréable surprise à son client hebdomadaire en lui adressant la parole dans sa langue. Le soir même, il était l'invité de Jose à *Los Olivos*, lequel le présenta à sa femme, Maria, et à la sœur de celle-ci, Juanita, une belle jeune fille délicate et fraîche comme un bégonia, dotée de petits yeux noisette, mobiles et perçants, dont la flamme moirait les longs cils noirs qui les encapuchonnaient. Pensionnaire dans un couvent montréalais, Juanita était en vacances scolaires pour les fêtes de fin d'année.

Il arriva ce qui devait arriver : Gaby s'énamoura de Juanita et lui fit une cour assidue l'été suivant. Cependant, malgré les artifices amoureux auxquels il fit appel, malgré la séduction verbale, voire linguistique qu'il exhiba — elle parlait assez bien le français et il maîtrisait de plus en plus l'espagnol, — il constata dans les premiers jours de septembre, au moment où elle s'apprêtait à retourner à ses études, qu'il n'était pas tellement plus avancé qu'au début. Ces chansons d'amour mexicaines qu'il avait chantées pour elle en s'accompagnant de sa guitare, ne l'auraient donc pas touchée ? De même, aurait-il, deux ou trois soirs par semaine, pagayé inutilement d'un bout à l'autre du lac pour lui dire l'ardeur de sa passion, l'emballement de son cœur ? Ne pouvant le croire, Gaby alla demander l'explication à son ami Jose, lequel, après tout, lui avait présenté Juanita.

« Je crains que toute cette affaire, lui dit Jose en espagnol, ne soit un malheureux malentendu à la naissance duquel j'ai participé bien involontairement, sans penser à ses conséquences. J'aurais dû dès le début t'expliquer un peu comment les choses se passent chez-nous entre les jeunes des deux sexes. Les garçons peuvent bien courtiser les filles qu'ils veulent, et celles-ci restent parfaitement libres de recevoir ou non leurs hommages, d'éconduire ceux qu'elles jugent importuns. Mais tout cela n'est qu'une façade, une sorte d'exutoire au trop-plein de sentiments amoureux de la jeunesse, et n'a rien à voir surtout avec l'amour véritable et son prolongement matrimonial, lesquels tombent sous l'autorité paternelle. Mon beau-père, le colonel, répète souvent, en parodiant Clémenceau qu'il admire, que le mariage est une affaire trop sérieuse pour être laissée entre les mains des amoureux.

— Mais c'est tout à fait odieux ce que tu me dis là, interrompit Gaby. Je te prie de croire que la femme que j'épouserai, je la choisirai moi-même.

— C'est précisément pourquoi Juanita ne pourrait jamais devenir ta femme, eusses-tu le désir de demander sa main au colonel. Ce dernier feint d'ailleurs de ne pas voir que tu tournes autour de Juanita et n'a rien fait pour mettre fin à l'affaire. Pourquoi ? Simplement parce que sa fille, qui connaît déjà le nom de celui auquel il la destine, a toujours eu avec toi une attitude correcte et n'a jamais fait un geste susceptible d'être interprété comme une réponse à tes avances. Cela dit, ne pense pas que son cœur soit de glace et qu'elle soit restée insensible à la cour que tu lui fais depuis plusieurs mois.

— Dois-je te croire ? M'aime-t-elle un peu ?

— Si elle n'écoutait que son cœur, la partie serait peut-être gagnée, mais elle n'en a pas le droit car elle a trop d'affection et de respect pour son père pour même songer à contourner sa volonté. Seule la mort de son promis pourrait modifier la situation.

— Et ce promis, je présume qu'il est au Mexique et qu'il viendra la chercher un jour, demanda Gaby qui s'efforçait de contrôler ses émotions en dépit de la douleur qui le tenaillait.

— Non, les choses ne sont pas aussi simples que cela. D'abord, Juanita, qui n'a que seize ans, n'a jamais rencontré l'homme qu'elle doit épouser, quoique qu'elle sache son nom.

— Est-ce indiscret de te demander qui il est ?

— C'est un secret de Polichinelle. Autant être franc avec toi jusqu'au bout. Son nom ne te dirait rien, mais sache qu'il est le fils aîné du chef de notre mouvement, le général * * *, et que c'est un peu à cause de celui-ci que le colonel est venu vivre ici.

— Je ne comprends plus rien. Je croyais que vous étiez des réfugiés politiques, presque des proscrits. Quel est ce mouvement dont tu me parles ? et en quoi touche-t-il Juanita et son futur mari ?

— Notre mouvement groupe des milliers de catholiques, pour la plupart des paysans. Nous ne demandons qu'à vivre en paix avec les autorités civiles, pourvu qu'elles respectent nos croyances religieuses et cessent de harceler nos prêtres et nos évêques. Nous avions cru que le gouvernement avait eu sa leçon, après le long et sanglant soulèvement de la fin des années trente au cours duquel nos gens — plus de cinquante mille d'entre eux, — forts de leur bon droit mais craignant Dieu, prirent les armes et résistèrent à tous les assauts des troupes fédérales, allant même, suprême humiliation pour le gouvernement, jusqu'à leur infliger quelques défaites retentissantes qui ont amené celui-ci à composer avec les *cristeros*.

— Les *cristeros* ?

— Parce que leur cri de guerre était : « Vive le Christ-Roi et la Vierge de Guadalupe ! », on les a appelés *cristeros*, un peu par dérision, croyant, bien inutilement d'ailleurs, les injurier. Quoiqu'il en soit, le gouvernement n'a pas tenu ses engagements vis-à-vis des catholiques, reprenant d'une main ce qu'il avait accordé de l'autre. La guerre *cristera* a donc repris en 1930, sous le commandement du général***. Nous n'avions pas d'autre choix car la persécution contre l'Église avait recommencé de plus belle. Je dis nous parce que cette fois j'ai pris les armes, et mon commandant n'était nul autre que le colonel, devenu plus tard mon beau-père. Incapable d'enrayer l'avance victorieuse de nos troupes, le général Cardenas a dû céder et ordonner l'arrêt de la persécution. C'est alors que le général ***, convaincu que la paix fragile qui allait s'instaurer ne durerait pas, demanda au colonel Bustamante, son chef d'état-major et le trésorier du mouvement insurrectionnel, de quitter le pays avec quelques fidèles en emportant toute l'encaisse du parti, de la mettre en lieu sûr et d'attendre les événements. En chargeant son chef d'état-major d'une telle mission, le général faisait d'une pierre deux coups : d'une part, il contractait une assurance sur l'avenir et, si le climat social et politique se détériorait, il ne serait pas pris au dépourvu financièrement et pourrait, le cas échéant, lever et armer de nouvelles troupes ; d'autre part, face à la période d'incertitude et de méfiance qui régnait alors et qui risquait de se prolonger, il préférait que Juanita, la promise de son fils, allât terminer ses études à l'étranger. Si nous avons choisi de venir dans la province de Québec, c'est que vous êtes catholiques et latins comme nous, et que vos établissements d'enseignement privés, très connus par nous, accueillent chaque année nombre d'étudiants mexicains. »

Ce soir-là, Gaby ne s'attarda pas trop à *Los Olivos*. Ce fut sa dernière visite. La fin de l'été, qui amena la fermeture du chalet de ses parents, lui fournit une bonne excuse auprès de son ami Jose, auquel, d'autre part, il ne garda pas rancune. Ils continuèrent à entretenir des relations amicales et, de temps à autre, lorsque Jose se présentait devant son guichet quelques minutes avant l'heure du déjeuner, Gaby l'invitait à prendre une bière à la taverne de son oncle Alexandre, juste en face de la banque. Les premiers temps, ni l'un ni l'autre ne firent mention de Juanita. Gaby laissait parler son ami sur le Mexique, surtout précolombien, un sujet de prédilection s'il en fut, car Jose ambitionnait à son retour d'étudier l'ethnographie afin de faire des recherches sur la civilisation aztèque. Le sujet exerçait sur lui un attrait d'autant plus irrésistible qu'il était, vu l'ascendance indienne de sa mère, un sang-mêlé.

De ces conversations autour de demis pression, servis avec une assiettée de « fèves au lard » brûlantes et juteuses et des tranches de pain blanc beurrées généreusement, naquit l'amour que Gaby ne cessera sa vie durant, et pour son malheur, de porter au pays de Juanita. La passion que celle-ci avait suscitée chez lui mais qu'elle avait dû ignorer, il la transféra à la terre qui l'avait bercée et sur laquelle soufflait toujours Quetzalcoatl, le maître de la nature. Dans ce Morelos qu'avec tant de verve et de couleur lui décrivait Jose, Gaby se disait qu'il devait bien y vivre d'autres Juanitas aux corps de lianes et aux regards de hiboux. Il promit à son ami qu'il irait le visiter un jour quand la paix sera revenue — l'Occident était de nouveau en guerre, — et que lui, Jose, sera retourné dans sa patrie.

Mais ces Juanitas imaginaires, qui n'étaient pas promises à des fils de généraux, effritaient insidieusement et subrepticement dans l'esprit de Gaby le souvenir de la vraie Juanita, celle qui leur avait servi de modèle, en même temps qu'elles aiguisaient son appétit d'aventure et affermissaient son désir de dépassement. Voilà que tout à coup la vie prenait un sens, que l'errance trouvait sa justification et son ultime objet.

Gaby ne fut donc pas long à tirer les conclusions qui s'imposaient. Au début de l'été, avant que la fin de l'année scolaire ne ramenât Juanita à *Los Olivos*, il résigna ses fonctions à la banque et annonça à sa famille un brin surprise qu'il quittait Val-des-Ormes où il commençait à étouffer. Il les laissa dans le vague sur ses plans immédiats, se bornant à dire à sa mère qui le pressait de questions qu'il voulait voyager, voir le pays de l'Atlantique au Pacifique.

M. Marans comprit son fils et ne s'étonna point qu'il voulût connaître d'autres cieux, encore que, toujours le commerçant pratique, il regrettât de le voir abandonner la banque, un établissement idéal pour s'initier aux affaires, comme lui-même l'avait dans le temps constaté. Mme Marans, elle, parce qu'elle était près de Gaby, eut peur pour lui : elle le savait rebelle, nomade, imaginatif et inquiet, tous traits de caractère annonciateurs d'orages et de déchirements. Son amour malheureux pour Juanita et sa découverte subséquente du Mexique ne lui avaient pas échappé, même si Gaby n'avait soufflé mot à personne de ses visites à *Los Olivos*. Mais depuis quand une mère a-t-elle besoin de confesser son fils pour déchiffrer ses pensées les plus secrètes et entendre les tourments de son cœur ?

Ce que Mme Marans appréhendait le plus devait arriver six mois plus tard : dans une lettre postée à Guelph, Gaby annonça à ses parents son enrôlement dans l'aviation. Il rejoignait ainsi sous les drapeaux Julienne, infirmière dans l'armée de terre depuis décembre 1938.

Hier encore lointaine, la guerre s'installa à demeure chez les Marans.

21

Aussi longtemps qu'il avait travaillé à la banque, Gaby s'était bien gardé de dévoiler les informations confidentielles, la plupart de nature financière, qu'il possédait sur la colonie mexicaine du lac des Ormes. En outre, ses relations sociales avec la famille Reyes, ses visites fréquentes à *Los Olivos*, l'avaient mis au courant de tellement de petits secrets sur le domaine qu'il en connaissait infiniment plus que son directeur, même si celui-ci recevait les confidences du colonel Bustamante. Ce n'est pas peu dire, puisque, s'il faut en croire la chronique locale, M. Rivière avait la réputation d'en savoir autant, sinon plus sur les affaires personnelles de ses clients, que le curé qui entendait la plupart au confessionnal lorsque, pécheurs pas toujours repentants, ils s'y présentaient au moins une fois par mois.

Ainsi, quand Lise Vermais venait retirer une importante somme de son compte, le directeur, lui, savait qu'elle allait rejoindre son amant à Montréal pour le week-end, voyage illicite s'il en fut, dont le récit, des plus sobres, était fait au curé, quelques jours plus tard, par la pécheresse en personne, laquelle ne poussait toutefois pas le repentir jusqu'à lui avouer ce que sa faute lui avait coûté et d'où lui venaient les fonds. Car cet argent, le gérant de la banque s'en doutait mais le curé l'ignorait, Mme Vermais le retirait par petits montants du tiroir-caisse du *Beau Brummel*, le magasin de vêtements pour hommes appartenant à son mari, et allait le déposer à la banque une fois par semaine. Ce prélèvement secret — « pour Éros », se disait-elle — sur les recettes quotidiennes s'ajoutait à la maigre allocation que M. Vermais versait de temps en temps à sa femme pour ses menues dépenses. Il y avait dans l'opération un côté compensatoire qui la légitimait aux yeux de Mme Vermais : par ce geste, elle se dédommageait des sévices qu'il lui faisait subir après une partouze à Montréal avec ses fournisseurs et à leurs frais, ou une partie de pêche, toute liquide, à son club sportif du lac Baskatong.

Toujours est-il que Gaby ne voulut point partir sans révéler quelques-unes des choses qu'il avait apprises sur les Mexicains et qui, connues, pourraient mettre fin aux fables qui couraient encore sur eux. L'un des plus intéressés fut Gédéon, qui avait essayé à plusieurs reprises dans les derniers mois de lui tirer les vers du nez au sujet de ses amis de *Los Olivos*. Une fois ses liens rompus avec la banque, Gaby se sentit plus libre de satisfaire la curiosité de son frère. C'est ainsi qu'il n'hésita pas à lui dire que les fonds dont le colonel avait la garde s'élevaient à plus de dix millions de dollars et qu'ils étaient placés dans des actions et des obligations à court terme. Une infime partie des revenus que rapportaient ces placements servait à payer la pension et les frais de scolarité des dizaines de jeunes catholiques mexicains inscrits dans des écoles du Québec.

«Et les milliers de dollars investis dans *Los Olivos*, demanda Gédéon, est-ce qu'ils proviennent aussi de la caisse du parti catholique ?

— Non, le domaine est la propriété du colonel Bustamante, répondit Gaby, quelque peu fier d'en remontrer à son aîné. Le colonel est fort riche. Il possède sur un des plateaux du Morelos une *hacienda* de plusieurs milliers d'hectares qu'administre son père en son absence. *Los Olivos* a coûté bien moins cher que les gens pensent. Les Mexicains sont arrivés ici en pleine crise économique, à un moment où il y avait beaucoup de chômage dans la région. Le coût de la main-d'œuvre locale, à laquelle ils ont fait appel au début afin de les aider à défricher le terrain et à mettre sur pied le domaine, a été minime.

— C'est ça, le colonel a exploité les chômeurs et leur a donné des salaires de famine. Les Mexicains ne sont pas mieux que les Anglais !

— Tu y vas un peu fort, grand frère. Les Mexicains n'ont exploité personne. Ils ont donné du travail à des ouvriers qui n'avaient pas travaillé depuis des mois et ils les ont rétribués au même taux horaire que celui que consent l'administration municipale aux journaliers qui, sous un froid de $-42°F$, ont refait l'hiver dernier le réseau de canalisation souterrain de Val-des-Ormes. Selon Jose, tellement de personnes ont répondu à l'annonce publiée dans

La Voix du Nord que la sélection a donné lieu à des scènes douloureuses. Par compassion et dans un souci d'équité, le colonel a accordé la préférence aux chômeurs mariés ayant charge d'enfants et a engagé plus d'ouvriers qu'il n'en avait besoin. Si c'est ce que l'on appelle de l'exploitation, eh bien, il faudra réviser le dictionnaire !

— Tu n'es pas naïf un peu ? Avec les énormes profits qu'il tire de son domaine, nul doute que ton colonel n'ait été amplement compensé, non !

— Encore là, cher frère, tu te trompes : le domaine fait à peine ses frais, répliqua vivement Gaby. Le colonel et les hommes qui l'ont suivi dans son exil sont tous des paysans ou des fils de paysans. L'agriculture n'a plus de secrets pour eux. Cependant, dès la première année de leur installation, ils ont vite compris, quand les champs commencèrent à geler en plein mois d'octobre, que le Canada n'était pas le Mexique ; les Laurentides, la Sierra Madre ; bref, qu'un monde séparait la vallée ondoyante de la Lièvre avec ses saisons courtes, contrastées, capricieuses, du sol montagneux de la sierra de Guihilaque, au Morelos, avec ses vents chauds et son climat constant et tropical. Les premières récoltes furent un fiasco : terre trop légère, sol mal irrigué. Les besoins en fourrages, cet hiver-là, coûtèrent une fortune au colonel, car il a fallu tout acheter pour nourrir le bétail. Depuis, les affaires vont un peu mieux mais c'est loin d'être le Pérou. »

Buté par tempérament, Gédéon jugea préférable de se tenir coi tant les faits que lui exposait Gaby étaient difficiles à écarter, ce qui ne signifie pas qu'il les crût. Il aurait fallu plus que cela pour lui faire accepter une situation qui s'accordait si peu avec sa vision préconçue des choses et sa xénophobie latente.

La revanche vint après le départ de Gaby. Non content de taire certains détails clefs dans la courte histoire de la colonie mexicaine, Gédéon prit un malin plaisir à gauchir le sens et la portée des informations qu'il répandit à tous les vents, en sorte que *Los Olivos*, à la présence duquel les gens s'étaient habitués et sur lequel ils ne se posaient plus de questions, retrouva son aspect dérangeant, menaçant, avec, en plus, un je ne sais quoi de terrifiant. Gédéon ne colora son geste d'aucune intention franchement malveillante: il était doctrinaire mais non sectaire, — quoique son nationalisme le conduisît parfois à des excès d'intolérence, lesquels ne disparaîtront que lorsqu'il aura appris à épouser les aspérités de la vie professionnelle et à maîtriser les règles élémentaires de la diplomatie sociale. Il aimait surtout faire de l'épate et livrer des batailles verbales. Les *cristeros* en firent les frais pour quelques jours!

22

Ce voyage que fit Rose à Portage-du-Lièvre à Pâques de 1922, il faut le marquer d'une pierre blanche car, non seulement il modifia la nature de ses rapports avec sa belle-famille, mais il constitua une sorte de sommet dans son univers affectif et social.

Toute vie, à moins qu'elle ne soit réprouvée par les dieux, traverse des jours uniques, rares, au cours desquels tout semble, à cause de circonstances favorables, de coïncidences fortuites et heureuses, de complicités inattendues, se combiner pour créer des moments privilégiés, incomparables, d'une telle densité dramatique que leur évocation, fût-elle par la suite maintes fois répétée, recherchée, ne les émousse ni ne les épuise.

Tel fut Pâques, cette année-là, pour Rose bien sûr, et également, comme nous allons le voir, pour son mari et pour son beau-père. Le voyage de Montréal à Portage-du-Lièvre se fit sans encombre malgré l'état pitoyable de la route, particulièrement dans les sections boisées de l'intérieur où le dégel n'était pas encore terminé ; n'eussent été la robustesse de sa carrosserie et la puissance de son moteur, l'automobile d'Antoine fût tombée en panne quelque part entre Montebello et Portage-du-Lièvre, tant les fondrières et les « ventres-de-bœuf », leur contraire, — suivant l'expression imagée des campagnards, — lesquels parsemaient le sol graveleux du chemin, rendaient la conduite acrobatique et dangereuse.

Seuls leur aînée, Julienne, et le tout dernier, Augustin, deux ans, accompagnaient Antoine et Rose. Leurs deux autres enfants, Gédéon et Gaby, étaient demeurés à Montréal sous la garde vigilante de la bonne : avec eux dans la voiture, le trajet aurait été un enfer. D'ailleurs, c'est sur l'insistance de sa fille que Mme Marans avait pris Augustin avec elle, Julienne, dont les aptitudes au commandement perçaient déjà dans le ton de la voix et l'autorité du geste, l'ayant assurée qu'elle s'en occuperait durant tout le voyage. À voir l'émerveillement qui dilatait les grands yeux verts d'Augustin, la joie pétulante qui creusait des fossettes dans ses joues d'une nacre rosée, et les frisettes que l'excitation du voyage et la chaleur de la voiture faisaient à ses cheveux blonds, Rose se fit la réflextion, une fois que l'automobile eut traversé le Saint-Laurent et pris la direction de Lachute, que la présence de son plus jeune faciliterait ce troisième contact avec sa belle-famille.

À vrai dire, elle appréhendait et souhaitait tout à la fois cette rencontre, la première depuis la fin de la guerre. Pour une bonne partie du parcours, Antoine la sentit nerveuse, absente, incapable de fixer son attention sur quoi que ce soit. Pour lui permettre de se dégourdir et de reprendre son aplomb, il proposa une halte pour déjeuner et, sur sa réponse affirmative, il lui montra du doigt une imposante structure en granit rose de taille qui se dressait non loin entre la rivière des Outaouais et une allée de chênes blancs et de tilleuls glabres.

« Qu'est-ce que c'est ? lui demanda-t-elle.

— Le club des Deux-Seigneurs, je t'en ai souvent parlé.

— Youpi ! » cria Julienne, aussi heureuse à la perspective de manger qu'à celle de pouvoir remettre Augustin entre les mains de sa mère.

Construit dans le style des manoirs d'esprit français du XVIIIe siècle sur un emplacement découpé sur deux anciennes seigneuries, d'où son nom, le club, qui appartenait à un groupe d'hommes d'affaires d'Ottawa, comptait au nombre de ses membres des représentants de tout le gratin politique, professionnel et commercial de la capitale et de la région.

Avant d'entrer dans l'établissement, ils marchèrent dans les sentiers de cailloux blancs autour des massifs encore dénudés qui attendaient leur première floraison. Le soleil de midi adoucissait l'air frais, sentant l'eau de montagne, que renvoyait le sous-bois d'en face encore tapissé de neige.

« Avec une température comme aujourd'hui, constata M. Marans, les érables doivent couler à flots, surtout que les nuits sont certainement froides avec cette neige granulée qui ne fondra pas avant une semaine ou deux.

— Papa, quand allez-vous nous faire visiter une «cabane à sucre»? demanda Julienne, en se plantant devant son père. Ça fait longtemps que vous nous en parlez. J'aimerais tant manger de la tire d'érable sur de la neige!

— Sucre, sucre, neige, neige, murmura Augustin qui se cramponnait d'une main au manteau de sa mère et essayait de l'autre de prendre une poignée de neige pour la porter à sa bouche.

— Ce sera pour une autre fois, mon chou, répondit Mme Marans. Quand tes frères seront plus grands, nous vous emmènerons tous à la «cabane à sucre». J'en connais une superbe à l'est de Thetford-Mines, le pays des érablières.

— Ce n'est pas nécessaire d'aller si loin, reprit M. Marans. Il y a une plantation d'érables à sucre tout près d'ici; elle appartient au club mais elle est ouverte au public...»

Mais déjà plus personne n'écoutait. Mme Marans essayait de rattraper Augustin qui lui avait échappé, cependant que Julienne, avec toute l'assurance de ses neuf ans, se tenait devant la porte d'entrée, piétinant d'impatience et faisant des signes à ses parents.

À l'intérieur, ils furent arrêtés par le concierge qui demanda à M. Marans, dans un anglais avec un fort accent français, s'il était membre du club.

«Je n'ai pas cet honneur, mon ami, répondit M. Marans sur un ton de grand seigneur qui fit reculer son interlocuteur. Veuillez dire au maître d'hôtel que je désirerais lui parler.»

Pendant qu'ils attendaient, Rose s'approcha de son mari.

« Qu'allons-nous faire ? dit-elle à voix base.

— Ne t'en fais pas, ma chérie. C'est la morte-saison pour un établissement comme celui-ci. Quelques membres seulement, probablement des bourgeois à l'aise, retirés des affaires, ou des politiciens qui fuient leurs électeurs ou leurs créanciers, doivent hanter les corridors et fréquenter la salle à manger. Or ce n'est pas suffisant pour faire vivre le club. Ça, le maître d'hôtel le sait, et s'il tarde à venir, c'est que m'ayant reconnu — ce n'est pas ma première visite ici — il est en train de convaincre un membre, qu'il sait seul et pris d'ennui, d'accueillir à sa table un couple distingué : lui, un homme d'affaires de Montréal ; elle, une femme jeune, élégante, dont la conversation ne peut être que raffinée, agréable et spirituelle. . .

— Charmeur, qu'essaies-tu de te faire pardonner ? interrompit-elle, le regard doucement provocant. Je parie que la dernière fois que tu es venu ici tu n'étais pas seul. L'endroit te semble un peu trop familier à mon goût.

— Tu me connais trop bien pour savoir que je ne te ferais jamais un coup pareil. Crois-tu que je t'amènerais ici si je m'y étais déjà affiché en galante compagnie ? Je te suis fidèle et tout dévoué. Mais est-il nécessaire de te dire tout cela ?

— Si, au contraire, j'aime te l'entendre dire. Tu trouves si peu le temps de me répéter ton amour pour moi. . . »

Elle fut interrompue par le maître d'hôtel qui arrivait sur ces entrefaites, la main tendue, le visage souriant.

«Monsieur Marans, quelle joie de vous revoir! dit-il et, s'inclinant légèrement devant Mme Marans, il ajouta : Madame, vous nous faites un bien grand honneur en vous arrêtant ici.

— C'est une idée de mon mari, répondit-elle, surprise et flattée par l'accueil.

— Dois-je croire que vous nous ferez le plaisir de rester pour le déjeuner? reprit le maître d'hôtel à l'adresse de M. Marans. Heureuse coïncidence, il y a là justement, dans la bibliothèque, un sénateur qui a entendu parler de vous et de votre famille par une relation commune, et il m'a chargé de vous demander si vous accepteriez d'être de ses invités.

— S'agit-il du sénateur Brun? demanda M. Marans qui s'était rapproché de sa femme et lui serrait le bras en une sorte de langage muet.

— Oui, comment avez-vous pu deviner?

— Oh! question d'intuition. Veuillez dire au sénateur que nous acceptons son aimable invitation.»

Le déjeuner fut un enchantement. La femme du maître d'hôtel, attachée à l'établissement en tant qu'infirmière, s'occupa de Julienne et d'Augustin et les fit manger à part avec ses propres enfants, en sorte que Mme Marans put pleinement apprécier avec son mari la parfaite urbanité de leur amphitryon et la légèreté savamment cultivée de sa conversation. Ancien député élevé à la Chambre haute en raison de services rendus au parti libéral, le séna-

teur exerçait le droit à Ottawa où il avait la réputation d'être l'un des meilleurs criminalistes
du pays. Veuf depuis deux ans, il avait pris
l'habitude de venir passer ses week-ends au
club, autant pour ne pas se retrouver seul dans
sa grande maison en briques rouges et à pi-
gnons de la Côte-de-Sable que pour s'oxygéner
les poumons et le cerveau, après les histoires
crapuleuses et sordides entendues au prétoire
pendant la semaine.

Tout au long du repas, le sénateur, figure
lisse de patricien, chevelure blanche ondulant
de chaque côté de la raie médiane, et verbe
chaud aux accents incantatoires, fit la cour à
Mme Marans, sous l'œil d'abord surpris, puis
irrité, et finalement résigné de son mari. D'ailleurs, celui-ci ne tarda pas à tomber sous le
magnétisme de l'avocat qui monopolisait la
conversation et l'émaillait de *concetti* piquants,
de réflexions amusantes sur la vie, et de
commentaires légèrement fléchés sur la basoche
et la faune politique. Étourdi, assurément, par
cette haute voltige intellectuelle à laquelle son
matérialisme foncier et sa simplicité ne
l'avaient pas habitué, M. Marans l'était encore
plus par les effets qu'elle produisait sur sa
femme et dont le spectacle gommait la petite
brûlure de jalousie qui, malgré son plaisir, lui
pinçait le cœur.

Sans qu'il y fût pour rien, et cette constatation le peina, Rose, son épouse depuis bientôt dix ans, était au septième ciel, n'avait
d'yeux que pour le sénateur et semblait plongée
dans cette sorte d'ivresse qui sourd d'une vanité totalement satisfaite, d'un égotisme qui ne
rencontre aucun obstacle. Elle en était comme

auréolée, comme séparée de tout, sauf de ce qui était pour elle, en ces instants pour lesquels les parenthèses ont sans doute été inventées, non pas l'objet d'un désir — elle n'éprouvait aucune attirance physique pour son interlocuteur dont le marivaudage, au surplus, était plus cérébral que sentimental, ce qui, d'autre part, expliquait la résignation de son mari qui n'en saisissait pas la trame — mais la cause d'une extase, l'étincelle qui avait allumé dans son âme, dans son cœur, un sentiment de plénitude affective, toujours désiré, jamais atteint dans toutes ces années de vie commune, coupées par quatre grossesses.

Un homme qu'elle connaissait depuis moins d'une heure, que rien en apparence ne désignait à son attention, que l'âge et l'expérience éloignaient d'elle, voilà que ce même homme devinait ses pensées les plus secrètes, réveillait chez elle des aspirations refoulées, comblait des besoins depuis longtemps endormis, oubliés, avec des mots d'une telle résonance dans son esprit qu'ils semblaient lui appartenir en propre. Rose ne s'en rendait pas compte : c'était le défenseur plus que l'homme qui fouillait son âme, non point pour la prendre en défaut, mais pour dévoiler sa beauté et exposer sa noblesse, car l'expérience lui avait enseigné qu'il n'y a d'heureux que ceux dont l'âme imprègne, illumine le corps et vit en symbiose avec lui. Quand Rose lui avait été présentée, il avait remarqué la lassitude de son regard et la tristesse de son sourire, preuve suffisante à ses yeux qu'il y avait chez elle une absence d'harmonie, des tiraillements entre ses élans spirituels et ses désirs charnels.

Entre la poire et le fromage, le sénateur relâcha la pression sur son sujet et, après s'être carré dans sa chaise avec un havane, il lui adressa quelques questions aptes à provoquer de sa part des réactions promptes et animées. Tel le sculpteur qui se recule pour mieux voir l'effet d'ensemble de ses coups de ciseau sur le bloc de marbre, il voulait évaluer l'impression produite par ses propos sur la fragile et sensible personnalité de Mme Marans. À vrai dire, il connaissait déjà la réponse et elle n'était pas dans la vivacité nouvelle de Rose, ni dans la chaude carnation de son visage, ni même dans l'aura de bonheur qui la baignait ; la réponse, il l'avait vu s'ébaucher dans la transparence lumineuse de ses yeux et se projeter dans leur contagieuse sérénité.

Ce fut le reflet extérieur de cette transformation, dont les ressorts secrets lui échappaient, qui impressionna Antoine : jamais sa femme ne lui avait paru si belle, et jamais non plus n'en fut-il plus fier. Accaparé par son entreprise du lundi au samedi, y consacrant aussi bien de ses soirées, il n'avait pas été très attentif à la mutation physique qui s'était opérée chez Rose au fil des ans ; pour lui, elle était restée la jeune fille mince et élégante, au cou lilial et élancé, au visage haut, si parfaitement équilibré, sous des cheveux châtain foncé, très abondants, qui marquaient l'albâtre du teint, le dessin délicat du nez et de la lèvre, et l'azur de l'œil. Au lieu de les altérer, la maturation des dix dernières années avait en quelque sorte achevé les traits de sa figure, agencé les ombres et les clartés. L'ébauche géniale de la vingtaine était devenue une œuvre d'art : à la fragilité, à l'innocence de la première, avaient succédé la vitalité de la seconde, son équilibre et son mystère.

Ce visage de Rose à trente ans, décrypté par le sénateur, et redécouvert par Antoine, le soleil printanier, qui, depuis un moment, immergeait la salle à manger dans sa lumière pailletée, le fouillait à présent amoureusement et, tel l'applique au haut d'un tableau, privilégiait les zones les plus belles, détaillant leur finesse artistique et rehaussant leur coloris naturel.

L'arrivée des enfants, ramenés par le maître d'hôtel, vint rompre l'enchantement et donner le signal du départ. Prétextant une recherche à terminer sur une cause prochaine, le sénateur se leva, et après avoir donné une bise à Julienne et caressé les joues d'Augustin, s'approcha de Mme Marans et baisa la main qu'elle lui tendait.

«Monsieur, dit-il ensuite en se tournant vers Antoine, je vous rends votre épouse. De ma vie je n'ai rencontré femme dont le mérite ne m'ait paru plus grand. Je vous vois sursauter. Ma franchise vous étonne, n'est-ce pas? Mettez-la au compte de mon âge — je frise la soixantaine — lequel autorise tous les droits. Stendhal explique quelque part que la beauté, parce qu'elle en est exempte, a besoin de la passion. Votre femme possède les deux : en acceptant mon invitation, vous m'avez permis d'admirer la première ; ne laissez pas la seconde dont vous avec la clef, flétrir celle-là. Vous en éprouveriez plus tard de cuisants regrets.»

La parole coupée par cette réflexion pour le moins inusitée, c'est à peine si Antoine put saluer une dernière fois le sénateur, tandis que, sorti de la salle à manger, il obliquait vers la bibliothèque. Quant à Rose, elle fit semblant de n'avoir rien entendu, car dès les premiers mots du sénateur, elle s'était affairée auprès d'Augustin qui réclamait son manteau. Mais dans la voiture, sa transparence et son enjouement, de même que sa patience inaccoutumée avec les enfants, attestèrent, plus que des paroles, son extrême contentement.

Le premier bénéficiaire de ce débordement fut évidemment Antoine d'autant que la compagnie du sénateur, Rose l'avait constaté, n'avait pas été de tout repos pour lui ; pour contrebalancer ce qu'il pouvait y avoir de blessant pour son mari dans la remarque — qu'elle croyait toutefois fondée — du sénateur, elle se fit particulièrement tendre et multiplia ses attentions. Forcé, après y avoir réfléchi, de reconnaître la pertinence de l'exhortation sénatoriale, Antoine voulut, de son côté, faire oublier ses manquements passés et retrouva donc à l'égard de Rose la prévenance du soupirant et l'adoration du jeune marié.

Sur la banquette arrière, Julienne regardait ses parents en se demandant ce qui pouvait bien leur arriver. « Ça doit être le vin, se dit-elle. Je vais avertir maman de faire attention. »

23

« Méfions-nous, les *cristeros* sont peut-être armés », dit Jouve à Mathieu, tandis que leur embarcation, moteur au ralenti, entrait dans une petite crique proche de *Los Olivos* mais cachée du domaine par la forêt qui la bornait. « Le colonel, lorsqu'il se rend à Val-des-Ormes pour ses affaires, porte toujours un revolver. On ne sait jamais à quoi s'en tenir avec ces Mexicains : ils ont le sang chaud et les réflexes rapides.

— Il n'y a rien d'étonnant à cela, répliqua Mathieu. Ne sont-ils pas tous des Indiens ? Leur passivité n'est qu'apparente, leur indolence, qu'un masque dissimulant la violence de leur caractère et la longueur de leur mémoire. Malheur à celui qui trahit leur confiance ! Il paiera jusque dans sa tombe. Ce n'est pas pour rien que l'on dit que la vengeance est douce au cœur de l'Indien.

— Tu charries un peu. D'abord, ils n'ont pas tous du sang indien. C'est le cas du colonel par exemple ; malgré son teint bronzé, les Iroquois de Maniwaki ne le prendraient pas pour un de leur race. C'est un Mexicain d'ascendance espagnole, un blanc comme toi et moi. Selon l'abbé Blanche, il y a autant de différence entre un Aztèque et un Huron qu'entre un Italien et un Suédois. Ce qui est vrai pour l'indigène du Canada ne l'est pas nécessairement pour celui du Mexique...

— C'est assez parler, interrompit Mathieu qui ne tolérait guère la contradiction. Maintenant que nous sommes près du domaine, nous devons nous entendre sur la façon de visiter les lieux. »

Debout à l'avant, Jouve poussait avec la rame le canot vers la rive, cependant que Mathieu, penché au-dessus de l'eau, débarrassait le moyeu des algues qui enrayaient la rotation de l'hélice. Une douce fraîcheur à laquelle se mariaient le parfum piquant des épinettes et l'odeur de renfermé du sous-bois les accueillit lorsqu'après avoir amarré leur embarcation, ils s'enfoncèrent dans la forêt.

Comme ils n'étaient vêtus que de leur seul maillot de bain et chaussés que de sandales, les premiers pas furent scandés de aïe! retentissants et prolongés. Mais ils s'adaptèrent vite : la branche raide, pointue, menaçante, était écartée avant qu'elle ne lacérât leur corps, tandis que le sol hérissé d'obstacles et plein de pièges sournois ployait, s'écrasait sous les pieds, lesquels présentaient d'abord leur talon, lentement, en glissant, puis leur lourde masse afin d'étouffer toute intention malicieuse. Les deux amis savaient, au reste, qu'ils devaient éviter tout bruit afin de ne pas révéler leur présence, d'autant plus qu'ils apercevaient, par une échappée devant eux, l'arrière d'un bâtiment de ferme.

«C'est probablement l'étable, dit Mathieu. Approchons-nous le plus près possible de la clôture. Nous verrons bien alors ce que nous devons faire.

— C'est là que je t'attends, répondit Jouve. T'as besoin de te faire aller les méninges car la visite des lieux exigera de l'audace et beaucoup de sang-froid.

— J'ai ma petite idée là-dessus. Sois patient, fit Mathieu, mystérieux.

— J'ai bien hâte de la connaître, ta petite idée, depuis le temps que tu m'en parles! Te rends-tu bien compte des dangers que nous courrons quand nous aurons mis le pied sur la terre du colonel? Nous aurons affaire à forte partie. Gédéon affirme que le colonel est un fameux guerrier qui ne fait point de quartier.»

Une haie de thuyas doublait, en le cachant de ses habitants, l'enclos en treillis métallique qui longeait le domaine. L'assemblage, qui pouvait avoir six pieds de haut, gênait la vue, et nos deux amis, maintenant qu'ils y faisaient face, n'arrivaient pas à avoir une image bien nette de l'endroit. Avisant un rocher à proximité, Jouve l'escalada, bientôt suivi de Mathieu, mais avant même qu'il n'eût pu, de cet observatoire naturel, admirer la perspective s'offrant à son regard, Mathieu, par un de ces gestes irréfléchis, toujours subits, et procédant d'une méchanceté certaine, poussa assez brusquement son ami à dessein de lui voler sa place et d'être ainsi le premier à profiter de la découverte. Jouve chancela, pirouetta à demi sur une jambe, s'abattit sur la surface, heureusement couverte de mousse, du rocher, pour enfin rouler jusqu'à la terre ferme, ou plutôt dans les floches de clématites en fleurs qui décoraient un buisson, en sorte que sa chute, pour rapide qu'elle fût, s'en trouva amortie.

Jouve n'entendit pas les excuses de Mathieu, à supposer qu'il lui en adressât, ce dont il douta par après en repensant à la scène. Sur le moment, toutefois, il essaya de garder son calme et de prendre la chose à la légère, étant donné, comme il ne fut pas long à le sentir, qu'il s'en tirait avec quelques éraflures seulement.

«La prochaine fois que tu recommenceras ce jeu-là, dit-il à Mathieu en s'efforçant, malgré qu'il en eût, de présenter un visage calme et souriant, assure-toi avant tout que le rocher est nu, rugueux de préférence, et qu'aucun massif de fleurs n'attend au sol l'heureuse victime. Sans ces précautions préalables, ton charmant exercice n'offre aucun intérêt.»

Astucieux, Mathieu eut recours à la même arme que son ami, l'ironie, ce qui eut pour effet de réduire la portée de toute l'affaire.

«J'ai ma leçon, dit-il à Jouve qui était remonté sur le rocher et qui l'observait du coin de l'œil, la tête haute et la lèvre sarcastique. Tu as raison. Tant qu'à jouer un mauvais tour, il vaut mieux qu'il soit réussi. Mets mon échec sur le compte de mon inexpérience. D'ici là, je te crie gare!

— Bravo! répondit Jouve, enfin, tu écoutes lorsqu'on te parle! Puisque te voilà si bien disposé, déballe ta petite idée au sujet de *Los Oli-*

vos. À propos, remarque le grand calme qui semble régner sur le domaine. Je ne vois âme qui vive. Cela ne te paraît-il pas étrange ?

— En effet, j'ai l'impression qu'il se passe quelque chose. Mais j'y pense, je sais de quoi il s'agit : c'est tout simplement l'heure de la sieste. Tout le monde dort. Ah ! ces Mexicains, ils ne pensent qu'à roupiller et à faire l'amour !

— Qu'en sais-tu ? demanda Jouve, curieux.

— C'est ce que les gens disent. La femme du docteur Langevin a visité le Mexique avec sa fille, l'automne dernier, et elle en est revenue fort choquée. Il paraît qu'elles ne pouvaient faire deux pas dans les rues de Mexico, même les plus passantes, sans se faire interpeller, solliciter par des hommes de tous âges, dans des termes qui ne cachaient rien sur leurs intentions. Un peu plus, on kidnappait la fille pour la violer. Ces Mexicains ne me disent rien qui vaille. Je parie que ton frère Gaby, s'il était ici, pourrait nous en dire long sur eux. Est-ce vrai qu'il a eu un chagrin d'amour à cause de la fille du colonel ?

— On a dit bien des choses. Il ne faut pas tout croire. Revenons plutôt à nos moutons. Cette sieste, d'ailleurs, me donne une idée. Pourquoi ne pas profiter du fait que tous nos Mexicains sont assoupis pour explorer le domaine ?

— Ouais ! je ne dis pas non.

— Si nous sommes le moindrement prudents, il se peut fort bien que nous puissions tout visiter avant leur réveil. Voilà mon idée. Voyons si la tienne est meilleure.

— Je ne sais pas si mon idée est meilleure mais elle pourrait, sinon remplacer, du moins compléter utilement ton propre plan. Voici comment je vois l'opération : nous nous présentons, l'air désemparé et la tête dépeignée, devant la maison du colonel et nous demandons à le voir. Il arrive sur le seuil de la porte et nous lui expliquons qu'à cause d'une panne d'essence il nous a fallu amarrer notre canot dans une crique proche d'ici. Il s'offre évidemment à nous aider et demande à un de ses hommes d'aller chercher un bidon d'essence. Sur les entrefaites, la femme du colonel apparaît sur le perron, et voyant nos yeux hagards et notre mine défaite, elle nous demande, par l'intermédiaire du lieutenant Reyes, si nous prendrions une collation. Nous répondons oui, bien entendu. Nous voilà donc installés dans la place, dans une position qui nous permet de poser des questions en toute innocence, car l'on ne se méfie pas de nous. Qui voudrait, en effet, se garder de deux garçons sans moyens de défense, de pauvres naufragés cherchant de l'aide ? Même que le lieutenant, en apprenant que tu es le frère de son ami Gaby, redoublera de gentillesse à notre égard et, avant de nous laisser partir, nous fera faire un tour complet des lieux.

— Formidable ! ne put s'empêcher de s'écrier Jouve, c'est très ingénieux, et, à moins d'avoir affaire à des gens insensibles, je ne vois pas comment ils pourraient nous refuser secours et assistance. Et je pourrais même, précisa-t-il avec un petit rire volontairement aigu, utiliser mes égratignures pour attirer la pitié. Je leur dirai que j'ai trébuché sur un tronc d'arbre mort en venant ici.

— Le temps presse, interrompit Mathieu ; commençons par suivre ton plan. Séparons-nous à l'instant et, par des voies différentes afin de confondre les *cristeros*, retrouvons-nous sous l'appentis que tu vois là-bas, derrière l'étable. Nous nous consulterons alors avant d'entreprendre l'étape suivante. Si l'un de nous deux était découvert avant, il sifflote les premières notes de *Au clair de la lune* afin d'avertir l'autre et il adopte immédiatement l'attitude de l'humble quémandeur suivant les grandes lignes de mon plan.

— Entendu ! dit Jouve. Tout devrait aller bien. J'espère seulement que les bergers allemands du colonel font aussi la sieste ! »

24

De la galerie, M. Marans père interrogeait l'horizon bleu rose sur lequel les hauts peupliers et les saules courtauds profilaient leurs branches défeuillées, raides, muettes. Assis sur le rebord de sa berceuse cannée, les mains à plat sur les genoux, il commençait à s'inquiéter, se demandant s'il était arrivé quelque accident à Antoine et à Rose. Antoine l'avait pourtant assuré au téléphone qu'il serait là vers les deux heures. Or la comtoise du salon venait de sonner la demie de deux heures et M. Marans ne voyait toujours rien venir sur la route à droite. L'air restait glacé mais le soleil d'avril, qui tailladait de plein fouet son front buriné et ses mains nervurées, répandait une molle chaleur tout le long de son corps et alourdissait ses membres.

Le sommeil allait presque le gagner lorsqu'apparut sur le sommet de la côte une automobile noire qui dévorait l'espace en laissant derrière celle un tourbillon de poussière.

Convaincu qu'il s'agissait d'Antoine, il appela sa femme pour lui dire la bonne nouvelle. Une minute plus tard, les deux époux, tout endimanchés, et entourés de leurs trois filles, attendaient, figés au pied de l'escalier de la galerie, l'arrivée d'Antoine et de Rose. Une certaine nervosité transpirait. Les filles surtout redoutaient cette rencontre avec leur belle-sœur qu'elles n'avaient pas vue depuis plusieurs années, en fait, depuis l'installation de la famille à Portage-du-Lièvre.

Bien que l'image qu'elles conservaient de Rose fût très floue, la femme qui émergeait de leurs conversations répétées à son sujet, le soir avant le coucher, se voyait attribuée un ensemble de caractéristiques fort éloigné du modèle vivant. Que Rose fût distante, hautaine, personne ne le niait, encore que sa réserve, voire sa condescendance, pût bien n'être que le produit d'une crainte secrète, inconsciente, devant un monde aux antipodes du sien. C'est souvent dans une telle situation que l'arrogance pointe ses dards, qu'elle devient un moyen de défense, peut-être le seul qui convienne à une personnalité forte, de la trempe de Rose.

Où celle-ci errait toutefois, c'était dans sa propre perception, au demeurant très superficielle, de ses belles-sœurs. Ce qu'elle avait, lors de ses visites antérieures, pris pour de la balourdise chez elles n'était qu'une gêne excessive que grossisssaient la banalité de leurs traits, la blancheur sans fard de leur visage et la grisaille de leurs vêtements.

Si ces subtilités sociales échappaient aux trois sœurs, il ne faudrait pas en conclure qu'elles étaient idiotes. Au contraire, Agnès, l'aînée, fera un brillant mais tardif mariage et ira vivre à Ottawa ; Lorette, la cadette, qui s'apprêtait à entrer en religion, sera au début des années quarante supérieure de sa communauté ; Marie, quant à elle, veillera plus tard sur ses vieux parents, avant de s'éteindre prématurément à la suite d'une mauvaise chute.

Dans l'immédiat, toutes trois brûlaient de mieux connaître leur belle-sœur et comptaient beaucoup sur la présente visite pour établir des rapports plus normaux, moins tendus avec celle-ci. Mais elles ne savaient trop comment s'y prendre ni quelle attitude adopter en sa présence. Que fallait-il déclencher chez Rose pour qu'elle descende de son piedestal et se mette au diapason de sa belle-famille ? Que devait-on faire en somme pour lui plaire ? Ces questions et beaucoup d'autres avaient trotté depuis quelques jours dans la tête des trois sœurs. Les gouttes de sueur qui rutilaient sur le front haut d'Agnès, la poussée de chaleur qui rougissait les joues rondes de Lorette, et le tressaillement qui traversait l'échine fragile de Marie, pendant qu'elles regardaient la voiture de leur frère tourner dans l'entrée et s'approcher de la maison, étaient autant d'indices que leurs questions n'avaient pas reçu de réponses. Rose elle-même se chargera d'y répondre par son attitude vis-à-vis des trois. Encore tout à l'euphorie de son déjeuner au club des Deux-Seigneurs en compagnie d'un hôte inattendu et combien charmant, elle oublia ses préventions passées contre les sœurs d'Antoine et déploya une telle aménité à leur égard qu'elles hésitèrent de longues secondes, se consultèrent du coin de l'œil, avant de comprendre qu'elle était sincère et ne les dévorerait pas. En réalité, les rôles se trouvèrent renversés et, au lieu de Rose, ce furent ses belles-sœurs qui affichèrent, du moins dans les premiers moments de son arrivée, un comportement blâmable.

Expliquons-nous. Rose avait deviné juste en se disant qu'avec Augustin à ses côtés, elle subjuguerait la famille de son mari quoique, conséquence qu'elle n'avait pas prévue, la réaction initiale des belles-sœurs à la vue de son dernier-né dont le regard d'émeraude, étonné, s'était attaché instantanément sur sa grand-mère, en fût une de jalousie rentrée, dissimulée sous le petit rire gêné, pointu, des jeunes filles qui désespèrent de trouver mari ; jalousie qui devint de l'envie lorsqu'elles comparèrent leurs toilettes défraîchies et démodées à l'ensemble de dernier cri que portait Rose : robe lâche et longue, de drap fin orangé, à encolure rectangulaire et à taille très basse, laquelle, avec le manteau droit de même tissu mais vert jade, et le chapeau de cardinal lui cintrant le front et coffrant ses cheveux coupés courts, affinait sa silhouette et accentuait sa féminité.

La mère d'Antoine ne fut pas lente à remarquer que la maladresse de ses filles menaçait de couper court aux bonnes dispositions de Rose. Pour sortir tout le monde de l'embarras, elle s'approcha de sa bru et, lui arrachant lestement des bras le petit Gédéon, lequel lui tendait justement les menottes, elle dit d'une voix qui n'admettait pas de réplique :

« Tu dois être morte, ma pauvre Rose. C'est-y Dieu possible de faire un si long voyage avec un enfant si jeune ! Mes filles et moi allons nous occuper de ton garçon pendant que tu te reposes. »

La glace était brisée. Les bras dégagés, Rose offrit ses joues parfumées au muguet à son beau-père, puis embrassa tour à tour, et très affectueusement, ses trois belles-sœurs. Imitant sa mère qu'elle talonnait, Julienne se prêta elle aussi aux mêmes gestes d'affection avec une grâce qui plut tellement à ses trois tantes qu'elles l'adoptèrent pour la journée et lui firent mille gâteries.

Après s'être laissé dorloter par la grand-mère et fait bécoter le front, le nez, et les menottes par les tantes, Augustin commença à manifester des signes d'impatience ; il se raidit entre les bras chauds et fermes qui l'enserraient et, faute de pouvoir exprimer clairement ses désirs, il secoua la tête plusieurs fois en regardant la galerie et répétant : « Miaou, miaou, miaou. . . » L'appel ne sembla pas déranger celui qui en était l'objet, un chat siamois qui avait sauté sur la berceuse quand son maître l'avait quittée plus tôt, et qui s'y vautrait depuis. Mme Marans déposa Augustin par terre et l'aida à marcher jusqu'à la galerie, accompagnée de Rose qui lui avait pris le bras sans façon, spontanément, comme deux vieilles amies qui se retrouvent après une longue absence.

Dévalant des collines boisées de l'autre côté de la rivière, un vent du nord, sec et glacial, souffla subitement sur le domaine, ce qui eut pour effet, avec le soleil qui, déjà, commençait à décliner à l'ouest, d'inciter ces dames à chercher refuge dans la maison. Augustin voulut bien suivre à la condition que son nouveau compagnon fût aussi de la partie et, pour contrer toute défection possible de sa part — la pauvre bête étouffait sous les caresses de son protecteur, — il essaya de le retenir par la queue, sans grand succès car Lorette dut l'empoigner au moment où il disparaissait sous la galerie. La joie d'Augustin fut si forte, si distrayante, qu'il buta contre le pas de la porte, mais la main expérimentée de sa grandmère veillait et sut lui éviter une chute.

Restés seuls sur le gazon, le grand-père et le père observaient la scène d'un œil amusé et indulgent, le premier avec l'orgueil du chef de famille qui voit sa lignée renforcée, le second avec l'exaltation du créateur devant une œuvre à peine ébauchée, creuset de tous les rêves et de toutes les fantaisies. C'était toutefois l'attitude cordiale de Rose à l'égard des siens qui, à cet instant, réjouissait le plus Antoine. Maintenant qu'il avait plus ou moins cessé de croire à un rapprochement et qu'il s'était finalement fait à l'idée qu'elle n'accepterait jamais d'avoir avec sa belle-famille des rapports autres qu'officiels ou commandés par la bienséance, voici que sa femme venait, par des mots bien sentis, un sourire affable et quelques gestes sans artifices, d'effacer des années d'incompréhension réciproque et de faire la conquête et de sa belle-mère et de ses belles-soeurs. Cette prouesse de Rose, Antoine en distinguait les effets à la fois chez sa mère dont la réserve paysanne avait fondu comme le givre d'avril, et chez ses soeurs qui avaient perdu en quelques secondes leur allure contrainte, celle derrière laquelle les êtres en attente abritent leurs espérances ou cèlent leurs angoisses.

À travers la porte moustiquaire, la voix claire et bien modulée de Rose parvenait jusqu'à Antoine : elle relatait les épisodes les plus piquants de leur déjeuner avec le sénateur Brun. Les rires et les exclamations que son récit engendrait indiquaient qu'un courant de sympathie s'établissait entre elle et ses auditrices. « J'espère que ce n'est pas seulement un feu de paille », se dit Antoine, songeur tout de même.

« Mon fils, ton épouse est une femme remarquable, dit M. Marans.

— Quoi ? fit Antoine, surpris dans ses pensées. Je vous prie de m'excuser, je n'ai pas entendu.

— Je disais que Rose est une femme remarquable. Je ne lui connaissais pas cette vivacité. C'est vrai que nous n'avons pas souvent eu l'occasion de la recevoir. Maintenant que tu as une automobile plus confortable, tu devras nous l'amener plus fréquemment afin que nous puissions faire plus ample connaissance. D'homme à homme, laisse-moi également te dire qu'elle est très belle. Tu ne dois pas nous la cacher pour quatre autres années, ajouta-t-il, œil malicieux et sourire entendu, elle nous appartient bien un petit peu, n'est-ce pas ? »

Devant un tel éloge de Rose, Antoine sentit le sang lui monter à la figure et marmotta quelque vague réponse. Sans trop savoir pourquoi, les paroles de son père le laissaient perplexe, le troublaient même, moins par leur contenu comme tel que par la correspondance qu'elles semblaient avoir avec la petite phrase d'envoi du sénateur, laquelle, malgré qu'il eût feint de l'oublier, continuait de le poursuivre. Certes, il n'y avait dans les louanges de M. Marans aucune arrière-pensée de prêche, aucune allusion directe à quelque manque de son fils, mais le fait que celui-ci crût ou voulût y voir un sens caché n'était-il pas une admission qu'il négligeait effectivement sa femme, qu'il restait sourd à ses désirs, plus peut-être qu'il ne le soupçonnait ou n'était prêt à le reconnaître ?

Dès lors qu'il parut à M. Marans que ses paroles avaient eu l'effet désiré, il n'estima pas nécessaire d'élaborer, la confusion et la rougeur de son fils constituant la meilleure des réponses ; et, parce que celui-ci avait si bien su décoder sa pensée — son éloge de Rose étant en fait un avertissement à son fils, — il s'émerveilla, dans l'ignorance qu'il était de la remarque du séna-teur, de la finesse psychologique d'Antoine. Au fond, le père et le fils venaient de démontrer une nouvelle fois que le langage n'est que l'échange de signes subjectifs et équivoques, souvent contradictoires, toujours voilés.

M. Marans aimait beaucoup son benjamin, qui occupait dans son cœur une place qu'aucun de ses trois autres fils n'était parvenu à remplir. Antoine s'était fait lui-même : sa réussite, il ne la devait à personne. M. Marans l'admirait pour cela et, devant ce fils qui avait eu le courage à seize ans de couper le cordon ombilical le liant à sa famille, qui avait lutté seul sans se plaindre ni jamais lui demander un sou, il pensait à ses trois autres qui ne lui avaient pas, au fil des ans, ac-cordé beaucoup de répit, et qu'il avait dû caser lui-même et suivre pas à pas. On comprend mieux le vif plaisir que produisait toujours chez le père la visite d'Antoine.

Parce qu'il avait lui-même, quoique sur le tard, connu le succès en affaires, M. Marans avait le sentiment en conversant avec son fils d'être sur la même longueur d'onde, de ne pas l'indifférer s'il évoquait quelque beau coup, narrait les dé-tails d'une vente particulièrement bien menée, ou qu'il revenait sur des risques récents qu'il avait dû courir. Antoine comprenait, demandait un supplément d'information, relatait une entreprise semblable, sollicitait une opinion. Ils partageaient volontiers leurs expériences et tiraient une leçon de leurs échecs. Habituellement loquace, M. Marans était intarissable quand son fils, profitant d'un voyage d'affaires à Ottawa, venait passer quelques heures à Portage-du-Lièvre. Les incidents divers accumulés depuis sa dernière visite, les affaires plus sérieuses qu'il se refusait de discuter avec ses autres fils, ayant avec eux en ces choses une relation de patron à employé, M. Marans les déballait librement devant Antoine, avec une sorte de soulagement, car en tête de celles-ci figuraient les éternelles inquiétudes que les méthodes de gestion de Victor-Louis lui causaient, et la nonchalance chronique d'Arthur, doublée de son manque évident d'initiative.

Ces confidences honoraient Antoine et le rapprochaient de son père, lequel, à vrai dire, il n'avait pas tellement connu dans sa prime jeunesse. Il découvrait un homme différent de celui qu'il avait quitté encore adolescent et qui lui avait paru alors débordé par les événements. Quel contraste! Au lieu du paysan aigri, méfiant, prompt à blâmer les Anglais, les politiciens ou les aléas de la température si ses récoltes étaient mauvaises, le père qui se confiait à lui était l'image du succès : démarche digne et assurée malgré une silhouette large et pleine, regard franc et imposant sous des sourcils touffus, voix forte, un peu tranchante, du patron pour qui commander à d'autres n'est pas un don inné mais une expérience acquise, venue tard dans la vie.

Quoiqu'il ne fût point homme de regret, Antoine rêvait parfois au soutien que son père aurait pu lui apporter dans les premières années, alors que seul avec lui-même dans sa pension anglaise de Sherbrooke, le découragement l'envahissait et que le prenait l'envie de tout lâcher pour filer vers les États. Dans ces moments, la teneur en sel de ses larmes eût rempli un saleron !

En partageant ses secrets d'affaires avec son benjamin, M. Marans le plaçait dans une position privilégiée par rapport à ses autres fils, ce dont Antoine ne se plaignait nullement, même s'il subodorait la jalousie sourde de ceux-ci devant sa bonne fortune. Au contraire, ce traitement de faveur représentait dans son esprit une rétribution tardive mais justifiée pour toutes ces années où il avait été privé de la présence de son père. Sa conviction était si ancrée à cet égard qu'il croyait dur comme fer que cette rétribution devait aussi revêtir une forme matérielle et s'étendre aux importants achats de bois de construction qu'il avait, lors de sa visite précédente, commencé à négocier avec son père. Il espérait bien pouvoir en arriver à un accord avant la fin de la journée.

Antoine avait besoin de bois, de beaucoup de bois, parce qu'un boom dans la construction s'annonçait. Au ralenti depuis deux ans, l'activité économique manifestait une vigueur nouvelle. Antoine ne doutait pas que le premier secteur qui bénéficierait de la relance serait celui de l'habitation, où les besoins étaient plus grands. Depuis la fin de la guerre, la population de Montréal s'additionnait chaque semaine de ruraux attirés par la perspective d'un emploi stable et d'un salaire supérieur à celui qu'offrait le travail dans la ferme ou en forêt, mais il n'y avait pas assez de logements pour satisfaire les besoins de cet afflux de monde.

« Es-tu si certain qu'il y aura une grande demande de bois de construction ? demanda M. Marans. Mes ventes ont diminué depuis plus d'un an et je n'ai encore remarqué aucun signe de reprise.

— Croyez-moi, elle est déjà là, répondit Antoine. Pas plus tard que la semaine dernière, un entrepreneur avec qui je fais souvent affaire s'est dit prêt à passer une grosse commande de bois tendre, surtout du pin et du cèdre, à condition que je lui fasse un prix raisonnable. Je lui ai promis une réponse pour cette semaine.

— Pourquoi le faire attendre ? Ne risques-tu pas de perdre une vente ?

— Aucunement. Il n'a pas besoin de son bois immédiatement.

— Mais as-tu au moins tout le bois qu'il te faut pour le contenter ?

— Oui et non. Je m'explique. Si je remplis sa commande maintenant, je vide quasiment mon entrepôt. Il me faut pouvoir donner suite aux demandes de mes autres clients. Avant de satisfaire mon constructeur, je dois donc m'assurer que mon stock est constamment renouvelé.

— Ça me semble l'évidence, fit M. Marans.

— Si, mais face à une forte demande, il ne sera pas facile de s'approvisionner. Il y aura des délais de livraison et les prix grimperont.

— Ce qui ne sera pas une mauvaise chose ! Je trouve les profits de ma scierie ridiculement bas. Il est à peu près temps que mes efforts commencent à payer. Mes coûts ne cessent d'augmenter. D'ailleurs, je subventionne ce village depuis assez longtemps ! »

M. Marans était mi-sérieux en disant cela et son fils le savait, comme lui-même savait où Antoine voulait en venir. Mais à présent que leur conversation tournait à la négociation, ils éprouvaient tous les deux le besoin, ne fût-ce que pour sauver les apparences, d'observer les règles et le formalisme qui doivent la caractériser et d'entrer dans le rôle qu'elle leur commandait de jouer : le premier, comme vendeur, devant faire état de la lourdeur de ses charges, vanter la qualité de sa marchandise tout en paraissant peu enclin à la laisser aller ; le second, comme acheteur, devant masquer son trop grand intérêt, faire allusion à des marchés possibles ailleurs, jurer même de rompre s'il n'obtenait pas des conditions satisfaisantes.

Ce jeu, c'en était un, dura une bonne heure. Pour être plus à l'aise, les deux protagonistes s'étaient retirés dans une petite pièce, à l'arrière de la maison, qui servait de bureau à M. Marans. Avant de conclure l'achat, celui-ci manda Victor-Louis — il était après tout le patron de la scierie — afin de vérifier certains détails de la commande et de s'assurer que les délais de livraison pourraient être respectés. Mais M. Marans voulait surtout mettre Victor-Louis dans le coup afin d'éviter, après le départ d'Antoine, qu'il ne piquât une colère devant les conditions outrageusement avantageuses qu'il avait consenties, et ne l'accusât de vouloir conduire l'entreprise à la ruine.

« Pourquoi favoriser Antoine au détriment de nos clients de toujours ? eut envie de crier Victor-Louis en prenant connaissance du contrat de vente. Aucun d'eux n'a jamais bénéficié d'une telle remise. Les gars de la ville sont tous pareils : ils ne cherchent qu'à dépouiller les gens de la campagne. »

Mais la rage réprimée de Victor-Louis visait moins Antoine, pour qui il avait une tendresse admirative et bourrue, que l'injustice du procédé. « Si j'avais voulu moi-même traiter un client de façon aussi généreuse, le père aurait été le premier à me tomber dessus et à m'accuser de mal administrer mon affaire », pensa-t-il, pendant qu'Antoine, maintenant assuré de sa remise, en profitait pour faire ajouter à sa commande plusieurs tonnes de chêne de parquet.

Ce n'est finalement qu'au dîner que Victor-Louis se calma. Rose, qui l'avait comme voisin de table, comprit à son air renfrogné et sec qu'Antoine avait obtenu ce qu'il voulait. Ignorant Arthur qui lui faisait face et qui cherchait à capter son regard, elle concentra son attention sur Victor-Louis, usant de tous ses charmes, exerçant tous ses pouvoirs de femme, afin de desceller les lèvres d'un homme qui n'en avait manifestement pas envie. Au bout de cinq minutes, Victor-Louis, poussé, sollicité par sa gentille belle-sœur, lui racontait avec des mots d'une grande richesse évocative quelques épisodes de ses aventures en forêt. Quand Rose fut sûre de sa victoire, elle posa sa main délicate sur l'avant-bras robuste et nerveux de son compagnon comme si elle désirait qu'il fit une pause, et répondant au regard persistant d'Arthur, elle lui demanda s'il avait, lui aussi, connu la vie des bûcherons. Comme l'amoureux éconduit qu'un rappel décontenance parce qu'il a perdu tout espoir, Arthur faillit s'étouffer avec le morceau de chapon qu'il avait dans la bouche, mais reprenant sa respiration après avoir bu une gorgée d'eau, il fut pris d'une gêne extrême et ne put que balbutier le peu d'attrait qu'avait pour lui la vie en forêt. Rose grimaça et détourna la tête, déçue tout de même par cette conquête sans combat.

Au bout de la table, M. Marans observait sa bru avec attention. De tous les membres de sa famille, il était le seul à ne pas être abusé par l'opération séduction qu'elle menait avec tant d'adresse depuis son arrivée. La façon subtile avec laquelle Rose venait d'entortiller ses beaux-frères, si elle suscitait de l'admiration chez lui et ajoutait à sa panoplie de talents, confirmait l'impression de léger embarras qu'il avait ressentie plus tôt, et qui l'avait incité à vanter ses mérites avec tant d'insistance qu'Antoine avait interprété le compliment comme un reproche, comme une allusion au peu d'attention qu'il accordait à sa femme.

Il y a des mots, il y a des accents qui ne trompent pas : M. Marans avait décelé dans la voix de Rose comme dans ses gestes quelque chose de forcé, de théâtral, qui lui avait paru très peu s'accorder avec la suprême et orgueilleuse assurance qui drapait le moindre de ses réflexes. N'étant naturellement pas né de la dernière couvée, il n'eut pas à s'interroger longtemps pour découvrir ce qui clochait dans l'attitude de sa bru. Pour le vieux terrien qu'il était resté malgré sa percée dans les affaires, une femme dont le comportement, sans cause apparente, manquait tout à coup de naturel, ou trompait son mari ou était elle-même trompée. Comme il ne pouvait imaginer que Rose, cette femme fière et bien née, et mère de quatre enfants encore, pût être coupable d'infidélité — la pensée même d'une telle faute lui faisait horreur, — il dut se replier sur l'autre élément de son alternative et considérer qu'Antoine avait peut-être péché. « Cela n'est pas possible, s'était-il dit. Antoine est un homme de devoir qui ne pourrait jamais se résoudre à rechercher son plaisir hors du foyer conjugal, ne fût-ce qu'une nuit. En outre, il aime trop sa femme, ça se voit dans les regards caressants qu'il lui lance, pour risquer de la perdre par quelque stupide infidélité. »

Cependant, pareille entreprise de disculpation ne le menant nulle part, il pensa qu'Antoine, tout fidèle et dévoué fût-il, pouvait fort bien négliger Rose, ne pas lui rendre cet hommage quotidien auquel toute femme s'attend et qui lui est aussi essentiel que l'eau qu'elle boit et la nourriture qu'elle prend chaque jour. En cela, Antoine était victime de son sentiment du devoir, lequel, parce qu'il voulait procurer à Rose tout le bien-être matériel possible, le portait à trimer dur au point d'oublier qu'il était aussi époux et père.

Voilà donc ce que M. Marans avait lu dans les traits exagérément animés de Rose. Il ignorait si ce qu'il avait dit à Antoine aurait un effet durable et ne se faisait pas d'illusions sur l'autorité qu'il avait pu conserver sur un fils qui avait déjà passé la moitié de sa vie loin des siens et de sa région natale. Mais l'espoir lui restait, et il se proposait de revenir à la charge lors d'une prochaine visite d'Antoine. Ce souci pour le bonheur de Rose et d'Antoine, c'était aussi pour lui une autre façon de payer la dette morale qu'il avait jadis contracté envers son fils en le laissant, si jeune, voler de ses propres ailes.

Au terme d'une journée dont il gardera un souvenir tendre et ému, M. Marans ressentait une sorte de soulagement, comme si plus rien ne pesait sur sa conscience. De pouvoir regarder son fils dans les yeux sans que son cœur se pinçât, de se glorifier de son succès sans que sa joie fût sombre, le comblaient d'un bonheur profond. Ce sentiment l'inondait encore, le lendemain matin, au moment du départ d'Antoine et de sa famille. Comme ce dernier allait, après avoir embrassé sa mère et ses sœurs, prendre place dans l'automobile, son père le retint et, serrant ses deux mains dans les siennes, il lui dit : « Tu sais, Antoine, je suis très fier de toi ! »

Ce qui toucha Antoine ce fut moins le compliment que les larmes qui brouillaient les yeux gris de son père.

25

« À ***, ce samedi 6 juin.

« Ma chère maman,
    « Que je suis heureuse ! Gaby, votre fils, mon
frère, est ici. Je viens de passer avec lui une journée merveilleuse, la plus belle depuis mon arrivée outre-mer. Je vais vous raconter tout ce que
nous avons fait. Messieurs les Censeurs, soyez
indulgents : je vous promets que je ne dévoilerai
aucun secret.

    « Tout a commencé lundi par un coup de
téléphone de Gaby. Il m'appelait de *** pour me
dire qu'il était arrivé à bon port quelques jours
auparavant. Vous ne pouvez imaginer, ma chère
maman, ce que ça m'a fait d'entendre la voix
chaude et mélodieuse de Gaby au bout du fil. Il
m'a toute retournée. Par lui, j'ai eu l'impression
que je vous retrouvais tous, qu'il n'y avait plus
d'océan entre nous. Cette nuit-là, je n'ai pas
dormi tant j'étais excitée, pensant aux nouvelles
de la famille et du pays qu'il m'apporterait.
Comme je devais aller à *** ce samedi, nous nous

sommes donnés rendez-vous à la Maison du * * *
où il nous fallait de toute façon passer afin d'ouvrir chacun un compte.

« Il m'attendait dans le vestibule quand je
suis arrivée. J'ai failli ne pas le reconnaître. Est-ce
possible que ce bel officier, mince et élégant,
avec sa moustache à la Clark Gable, soit mon
frère ? C'était bien lui. Mais Dieu quel changement ! La dernière fois que nous nous sommes
vus, il doit y avoir de cela plus d'un an, il n'avait
pas ses galons d'officier. Je l'ai trouvé un peu
pâle. La traversée de l'Atlantique l'a fatigué, et il
est terriblement dépaysé. Cependant, il n'y a pas
lieu de vous inquiéter, ma chère maman. Moi
aussi, je suis passée par là. C'est l'affaire de quelques semaines. La * * * est à l'image de son thé :
elle s'absorbe dans la pénombre, à petites gorgées
espacées, afin d'apprécier l'arôme de ses prés
verdoyants, la tendresse de ses ciels de printemps et l'impeccable civilité de ses peuples. »

Mme Marans interrompit sa lecture pour
considérer un moment ce que lui disait Julienne.
Antoine, qui lui avait remis plus tôt la lettre de
leur aînée, n'avait pas attendu qu'elle la lui lise et
était reparti, sachant qu'elle préférait faire seule
une première lecture et laisser décanter les impressions qu'elle suscitait chez elle avant de
permettre à toute la famille d'en prendre
connaissance.

L'arrivée imprévue de son mari n'avait pas
surpris Mme Marans : il lui parut qu'il n'avait
fait que répondre à l'appel téléphathique qu'elle
lui avait adressé avant le déjeuner. Mais en
voyant qu'il lui apportait une misive de Julienne, elle oublia qu'elle avait désiré retourner en
ville pour l'après-midi et, du même coup, chassa

de son esprit toutes les vilaines pensées qu'elle avait complaisamment accueillies dans ses rêveries de la matinée. Si elle les avait couvées un moment ces pensées, ne fallait-il pas en attribuer la cause au silence angoissant de Julienne, lequel la bouleversait et l'amenait à chercher une diversion.

« Que tu es gentil de m'apporter le courrier, lui avait-elle dit en l'embrassant affectueusement. Tu me savais inquiète, n'est-ce pas ?

— Plus que tu ne le crois, ma chère Rose, avait répondu M. Marans. Après toutes ces années ensemble, est-il nécessaire que tu m'épelles tes tourments ? Je les devine dans tes humeurs, je les lis dans tes soupirs.

— Dire que ce matin avant ton départ, je voulais te demander de ne pas me faire languir jusqu'à ce soir s'il y avait une lettre de Julienne ou de Gaby dans le courrier, mais je n'ai pas osé. C'est samedi et je sais trop que tu n'aimes pas t'absenter de la quincaillerie pendant une journée habituellement si occupée.

— Ma pauvre Rose, je ne suis plus l'homme d'affaires que j'étais il y a vingt ans. Rongé par l'ambition, avide de succès, je n'avais de cesse alors que je ne dépassasse mes concurrents et que je ne bâtisse une entreprise dont seraient fiers mes héritiers. Le hasard en a voulu autrement. Tu l'as regretté et peut-être le regrettes-tu encore. Ne crois-tu pas toutefois, en rétrospective, que mon échec dans le temps s'est avéré un bienfait ? Cela m'a permis de te consacrer plus de temps et de t'aider à élever nos enfants. »

En manière de réponse, Mme Marans, qui s'était réfugiée dans un coin de la galerie où le soleil de l'après-midi ne pouvait l'atteindre, avait adressé un sourire très tendre, très doux, à son mari. Cette confession impromptue l'avait étonnée agréablement encore qu'elle n'eût pu s'empêcher de se demander si ce diable d'homme n'avait pas aussi percé ses divagations matinales !

« Mais voilà que je m'attarde pendant qu'on m'attend au magasin, avait continué M. Marans. Tu brûles d'envie de lire la lettre de ta fille. Je ne te priverai pas plus longtemps de ce plaisir. Tu me raconteras ce qu'elle dit avant le dîner. »

Mme Marans n'avait pas décacheté sur-le-champ la lettre de Julienne. La délicate attention de son mari l'avait vraiment touchée : la poitrine crispée et l'œil embué, elle se reprocha sa conduite à son égard. Elle ne se décida finalement à satisfaire sa curiosité que lorsqu'elle sentit son cœur battre normalement.

Que Julienne fût ravie d'accueillir son frère à Londres, Mme Marans pouvait certes le comprendre : sa fille ne serait plus seule, qui aurait maintenant quelqu'un de la famille à qui parler. Mais pour elle, pour son mari et les autres enfants, l'arrivée de Gaby en Angleterre était un événement lourd de conséquences : il signifiait que le lieutenant d'aviation Gabriel Marans, sans-filiste et mitrailleur dans un bombardier, participerait bientôt à des missions de combat en territoire ennemi. La lettre de Julienne, plus que le court, le froid télégramme de l'intéressé, reçu dans les premiers jours du mois, apportait la terrible confirmation de cette nouvelle.

La présence de Julienne en zone de guerre, Mme Marans avait bien fini par l'accepter en se

274

disant que, n'étant pas sur la ligne de feu, elle avait toutes les chances au monde de sortir indemne de l'aventure, d'autant que les hôpitaux étaient rarement, croyait-elle, l'objet d'attaques aériennes. Dernière et ultime assurance : sa patronne, sainte Rose, à qui elle avait toujours voué un culte respectueux et sincère et qu'elle invoquait avant de s'endormir. Depuis que Julienne était outre-mer, Mme Marans priait chaque soir la tertiaire de Saint-Dominique de protéger sa fille. « Ce soir, se dit-elle, je la supplierai d'étendre sa protection à Gaby. »

Mais à cette pensée, un doute effleura son esprit et elle réfléchit que ce serait peut-être en demander trop à la sainte. Une observation du docteur Burgaud lui revint à la mémoire. À une partie chez des amis communs, peu de temps après le départ de Julienne pour l'Angleterre, il s'était enquis de celle-ci, qu'il considérait comme sa protégée — elle était venue le consulter et solliciter son appui avant de s'engager dans le corps médical de l'armée de terre, — curieux surtout de savoir où était basé l'hôpital canadien qu'elle devait rejoindre. Tout ce que Mme Marans put lui répondre fut qu'elle ne savait vraiment pas mais que, d'après les indications très vagues que lui avait communiquées Julienne, l'établissement en question était situé quelque part dans le Berks, à l'ouest de Londres. C'est, cependant, après qu'elle lui eut aussi donné des nouvelles de Gaby que le vétéran de la guerre de 14 eut cette réflexion : « Ma chère dame, servir son pays dans un paisible hôpital de la campagne anglaise qu'une bombe perdue peut trouer ou écorner, ce n'est pas nécessairement de tout repos quoiqu'une fille brave et volontaire comme Julienne s'en ac-

275

commodera fort bien, mais aller tenter le sort nuit après nuit, comme ce sera bientôt le lot de Gaby, en survolant le nord du continent afin de larguer sa charge de bombes sur un objectif industriel, tout en essayant d'échapper aux rayons des batteries de projecteurs et aux canons de la D.C.A. allemande, ça demande des qualités de caractère peu communes, un courage dont sont seuls capables ceux qui n'ont pas encore tissé trop d'attaches ou que déçoivent cruellement celles qu'elles ont. »

Dans le temps, cela n'avait pas frappé Mme Marans. Maintenant que Gaby était rendu sur le théâtre même des opérations, qu'il irait bientôt « tenter le sort », toute l'horreur de la situation lui apparut et, dans la circonstance, c'était moins un supplément de protection pour Gaby qu'elle allait devoir réclamer de sa sainte patronne qu'un supplément d'âme pour la mère angoissée qu'elle deviendrait. Devant les périls qui attendaient leur fils, son mari, fort de son fatalisme paysan et occupé par ses affaires, ne perdrait pas le sommeil et continuerait à vivre comme si de rien n'était, mais pourrait-elle, elle, conserver la même impassibilité ? Évidemment pas, bien qu'au fond d'elle-même elle sût, et dix maternités en témoignaient, qu'elle resterait pour sa fille et pour son fils la correspondante sereine, attentive, délicatement soucieuse d'éviter la moindre allusion à l'enfer où tous deux l'avaient plongée !

« Savez-vous ce que Gaby avait dans ses bagages pour sa grande sœur ? Vous ne pouvez deviner. Vous donnez votre langue au chat ? Vous avez raison. Je ne vous fais pas attendre plus longtemps : Gaby m'a remis de la part de

Philippe une paire de boucles d'oreilles, moitié or moitié argent, serties d'un minuscule diamant, dans le même style que ma bague de fiançailles. C'est une création Birks de Québec. Elles sont superbes. Philippe me gâte trop. Il a dû encore une fois dépenser toutes ses économies. Je l'adore. Est-ce que je vous ai dit qu'il m'écrivait tous les jours ? Eh bien oui. N'est-ce pas merveilleux ? C'est mon feuilleton personnel. À cause des caprices de la poste militaire, les épisodes ne me parviennent pas toujours dans leur ordre chronologique, de sorte qu'un passage obscur dans la lettre reçue avant-hier trouve sa source et son explication dans une missive antérieure qui ne m'est remise qu'aujourd'hui. D'autre fois, plusieurs lettres m'arrivent le même jour. Tout ça ajoute du piquant à nos échanges épistolaires !

« Je reviens à Gaby. Après un déjeuner dans un petit restaurant d'un square bien connu (« Trafalgar Square sans doute », pensa Mme Marans), nous nous sommes promenés durant des heures dans les rues de la cité, le long desquelles Gaby a connu le choc de sa vie. C'est en effet dans ces quartiers anciens, populeux et populaires que les nuits ont été les plus longues et les plus orageuses. (« Que veut-elle dire ? S'agit-il des bombardements dans le Strand ? Je vais demander à Antoine. ») Gaby a eu un avant-goût de ce qui l'attend dans les mois à venir.

« J'aurais voulu lui éviter ce spectacle mais, comme il était déjà au courant de la longue suite de « fêtes » nocturnes qui ont, un certain automne passé, ébranlé cette vieille partie de la ville, il a insisté et j'ai bien été obligée de le suivre. Les conséquences de ces chaudes nuits ne sont pas apparentes de prime d'abord. Il faut dire que les citoyens de cette bonne ville sont assez extraordinaires : ils font preuve dans l'adversité d'une solidarité indomptable et d'un esprit d'invention inépuisable.

« C'est un point important. Je vais l'illustrer par un exemple purement imaginaire. Supposons qu'un tremblement de terre vienne par une nuit sans lune, pendant que les parents avec leurs enfants à moitié endormis s'entassent dans le métro pour regagner leurs logis après une journée à la campagne, secouer tout un quartier et renverser la moitié de ses habitations et de ses boutiques. Eh bien, si une telle catastrophe frappait les citoyens d'ici, je parie que presque plus rien n'y paraîtrait vingt-quatre heures plus tard. Tous les bras disponibles, jeunes comme vieux, se seraient mis à la tâche dans l'instant même. On aurait déblayé les rues, nivelé les immeubles irrécupérables, remblayé ici, redressé là, et ceinturé, avec des panneaux joliment colorés, les endroits présentant un danger pour les piétons. Même qu'au bout de quelques jours l'on verrait surgir entre un tas de briques et un bout de pavement des touffes de violettes et d'impatientes plantées là pour le plaisir des yeux et le réconfort des âmes.

« N'est-ce pas que c'est admirable ? Gaby n'en revenait pas ! Que ce peuple puisse dans des temps aussi troublés cultiver ses fleurs et garder son sens de l'humour en dit long sur sa force de caractère ! »

Mme Marans ne put s'empêcher d'apprécier l'habilité avec laquelle Julienne transmettait son message. L'allégorie était grosse et n'avait certainement pas dupé le censeur, mais ce qu'elle révélait n'était pas à ce point stratégique qu'elle pût justifier l'ablation de certains passages. Fréquente dans les premières lettres que Julienne lui avait adressées d'outre-Atlantique (l'une en particulier, écrite sur une de ces lettres avion en papier bible bleu ciel qui se replie en forme d'enveloppe, avait été tellement charcutée qu'elle avait terminé son voyage dans une seconde enveloppe !), l'action du censeur ne se manifestait plus guère. Julienne avait élaboré une sorte de code épistolaire qui lui suffisait amplement pour communiquer à sa mère toutes les informations qu'elle jugeait utiles, mais qui, même déchiffrées, n'auraient été d'aucun intérêt pour la cinquième colonne. Elle n'ignorait pas ce qu'elle ne devait révéler sous quelque forme que ce soit. Le reste appartenait au domaine de la litote et de l'hyperbole, de l'imaginaire et de l'utopique, et elle n'hésitait pas à l'exploiter. Ce jeu de cache-cache l'amusait et, elle le devinait, plaisait à sa mère.

« À propos d'humour, j'ai découvert que Gaby en possède une forte dose, plus que je ne l'imaginais. À l'*Écu de France* où nous avons dîné, il m'a fait rire aux larmes avec le récit de ses aventures. Savez-vous, par exemple, que Gaby et un de ses amis se sont, une nuit d'automne, introduits clandestinement dans l'École Normale de la Visitation ? Bien plus, après un arrêt dans la cuisine des sœurs où il se sont empiffrés de beignets aux pommes arrosés de grands verres de lait, ils ont pris l'escalier conduisant au dortoir des pensionnaires et ont été surprendre Muriel dans sa cellule. Vous imaginez un peu la tête qu'elle a dû faire !

« J'ai aussi l'impression qu'il a omis de vous dire ce qu'il a fait dans les mois qui ont suivi son brusque départ de Val-des-Ormes. Mis en verve par le vin (la seule chose que nous ayons en abondance !), il a soulevé un coin du voile et m'a narré avec des détails aussi pittoresques les uns que les autres les deux mois où il a travaillé dans une mine d'or de l'Abitibi. Vous le voyez votre cher fils dans son bleu de mineur et son casque à lampe ? Moi pas !

« Vers la fin du repas, il est devenu morose. Cela ne m'a pas surprise. Je n'avais pu jusque-là me défendre d'éprouver quelque malaise devant sa trop grande volubilité, devant sa joie explosive et communicative. Essayait-il de s'étourdir ? de panser une certaine meurtrissure du cœur ? Je n'ai pas eu à l'interroger. Après le deuxième digestif, il m'a dit sa rencontre avec les Mexicains de *Los Olivos,* son tendre amour pour Juanita, et l'immense chagrin qui l'accabla en apprenant de son ami Jose que sa belle-sœur était promise à un autre. Son départ de Val-des-Ormes, son odyssée à travers les provinces canadiennes, et son enrôlement dans l'aviation n'auraient été en fin de compte que l'expression d'un désir de fuir une réalité devenue insoutenable. S'il prend volontiers acte que Juanita est morte pour lui, il n'arrive pas à justifier un deuil aussi cruel et ne peut faire taire les sentiments d'amour qu'il continue, malgré tout, d'avoir pour elle.

« Tout cela, ma chère maman, doit vous paraître bien dramatique, même tragique : il ne faudrait pas qu'il en soit ainsi. Ma propre impression, c'est que Gaby est un grand romantique qui aura toujours besoin d'une Juanita, réelle ou fictive, pour calmer son exaltation amoureuse, étancher sa soif d'absolu. C'est une maladie dont l'on ne meurt pas. D'ailleurs, dès qu'il eut terminé sa confession, il a paru soulagé et ses yeux se sont mis à sourire de nouveau. Au fond, il voulait que quelqu'un l'écoute et le comprenne. »

La lettre se terminait par les remerciements usuels pour le dernier colis de friandises reçu et par des salutations à toute la famille.

Pour chasser la bouffée de chaleur qui la saisit Mme Marans s'éventa quelques secondes avec la lettre repliée. Près du quai, gisant renversé sur l'herbe, le canoë vert, utilisé jadis par Gaby pour se rendre le soir à *Los Olivos* et que venait de repeindre Martine, séchait au soleil. L'absence de vent exagérait l'appesantissement des êtres et des choses. Même les merles, si pétulants en matinée, ne couraient plus sur le gazon et avaient cessé de siffler.

Rendue songeuse par les confidences de Gaby à Julienne, Mme Marans n'était, cependant, nullement rassurée par l'interprétation qu'en donnait son aînée. Au contraire, les faits rapportés ne firent que nourrir le sentiment d'inquiétude qui la dévorait. Femme forte, dominatrice, peu encline aux épanchements et aux rêvasseries, Julienne n'avait pas, selon elle, compris ce blessé au cœur, cet écorché vif qu'était Gaby.

« S'il est romantique, se dit-elle, elle est, elle, victorienne, une digne descendante de grand-maman Mitchell, l'aïeule écossaise sur les genoux de qui elle apprit ses premières prières et reçut ses premières leçons de morale chrétienne. Se souvient-elle de sa « granny », comme elle l'appelait ? Julienne était bien jeune, à peine six ans, lorsqu'elle est morte de sa belle mort, un soir lunaire de décembre. Elle venait de passer une semaine avec nous dans notre logement de la rue Garnier, à dorloter Gédéon qui ne marchait pas encore et à dresser — le mot n'est pas trop fort — Julienne. Deux jours plus tôt, maman était venue la chercher pour la ramener à Sherbrooke. Mince, grande et droite dans son éternelle robe longue, toute noire, que rehaussait une coiffe blanche, ses traits sévères adoucis par les rides et les plis de l'âge, elle enterra son mari et ses huit enfants, à l'exception de maman. Personne ne résistait à son autorité. C'est d'elle que Julienne tient son rigorisme et sa sévérité à l'égard d'elle-même et de son entourage. Comment peut-elle, avec de telles dispositions, interpréter l'âme fine, sensible, de Gaby, lire les mots d'amour pavant son cœur ? »

Mme Marans tamponna avec son mouchoir les larmes qui humectaient ses paupières. Un canot à moteur, qui approchait du quai, attira son attention : elle reconnut Jouve et Mathieu. Ce dernier ne fit qu'un bref arrêt pour déposer Jouve et repartit en criant à son ami de le rejoindre à la plage. Visiblement excité, les cheveux broussailleux, Jouve enjamba plus qu'il ne monta les quatre marches qui menaient à la terrasse.

« Maman, maman, cria-t-il, haletant, les *cristeros* sont partis !

— Quoi ? Qu'est-ce que tu me chantes là ? répondit-elle. Reprends ton souffle d'abord. Et puis veux-tu me dire où vous êtes passés, Mathieu et toi ? Ton dos. Montre-moi ton dos. Il est tout balafré.

— Ce n'est rien, maman. Vous n'avez pas entendu ce que je vous ai dit. Les *cristeros* sont partis. Le domaine est déserté.

— Qu'en savez-vous ? demanda-t-elle, incrédule.

— Nous en revenons. Il n'y a plus aucun Mexicain sur les lieux. Les volets des maisons, y compris ceux de la demeure du colonel, sont clos ; les portes fermées à clef. Tous les autres bâtiments, sauf une sorte de remise où veille un gardien, sont cadenassés.

— Le gardien vous a-t-il dit quand ils ont quitté l'*hacienda* comme l'appelait Gaby ?

— Oui, lundi dernier, reprit Jouve avec une fierté manifeste car, de sa vie, il n'avait été porteur d'une nouvelle aussi considérable. Ils ont tous pris le train avec armes et bagages pour rentrer au Mexique. *Los Olivos* est à vendre. Le gardien nous a confié qu'un gros cultivateur de Sainte-Agathe-des-Monts avait acheté pour une bagatelle tout le bétail qu'il y avait dans la ferme, tandis que les chevaux sont allés à un médecin de L'Annonciation.

— C'est Gédéon qui va être surpris. Qu'est-ce qui a bien pu se passer pour qu'ils fuient aussi soudainement ? » se demanda Mme Marans tout haut sans pour autant s'adresser à son fils. Au reste, s'apercevant que ce dernier, maintenant qu'il lui avait transmis l'essentiel de la nouvelle, commençait à s'impatienter, elle ajouta : « Va te baigner, mon grand, mais auparavant passe par la cuisine et demande à Martine de te badigeonner le dos. »

Elle n'entendit pas la protestation de Jouve car, dans un éclair, elle venait de prendre conscience de ce que signifiait pour elle le départ des Mexicains. Cela voulait dire que Juanita rentrait au Mexique, que ni elle ni Jose, son beau-frère et l'ami de Gaby, ne reviendraient au lac des Ormes. Les conséquences étaient énormes.

D'abord, lorsqu'il apprendrait que Juanita ne peuplait plus les lieux qui avaient été témoins de sa passion pour elle, Gaby se ferait mieux à l'idée qu'elle ne serait jamais sienne, puisqu'au refus dicté par les usages d'un pays s'ajouterait la séparation géographique : la rupture serait totale, sans retour. Ensuite, si la guerre prenait fin brusquement, il pourrait plus aisément revenir travailler à Val-des-Ormes, Jose et les siens n'étant plus là pour lui rappeler son impossible amour. Enfin, précisément parce que dans l'un ou l'autre cas Gaby recouvrerait la paix intérieure, il s'ensuivait qu'elle s'inquiéterait moins à son sujet. Déjà, Mme Marans éprouvait un sentiment de soulagement, et son sourire revint à la pensée de ce qu'elle aurait à reconter à Julienne à ce propos. Elle laisserait cette dernière annoncer la nouvelle à Gaby.

Comme pour saluer sa quiétude reconquise, un faisceau de soleil fouilla le fond de la galerie et s'immobilisa sur elle, détaillant avec amour les lignes douces et harmonieuses de son visage et diamantant les volutes violacées de sa toison grise.

Sur le lac, l'eau avait cette couleur sombre, souterraine qui la caractérise quand décline l'après-midi. C'est le moment où les êtres,

alourdis de chaleur et las de soleil, paressent à
l'ombre des arbres et souhaitent qu'arrivent enfin les haleines rafraîchissantes du soir.

26

Comme les plus jeunes avaient grand faim, l'on passa à table dès que M. Marans se fut amené avec son invité, le chanoine Mouchette, un familier de la maison et le partenaire de bridge préféré de Mme Marans. Visage couperosé sous une chevelure drue et fraîchement tonsurée, taille replète du sédentaire, le chanoine avait la quarantaine allègre et amène et savait être mondain sans ostentation, comme il était religieux sans fausse modestie. Un stage d'études en théologie, qu'il avait fait au Collège canadien de Rome dans les premières années du régime de Mussolini, avait développé chez lui une profonde aversion pour le facisme et une réticence croissante devant la montée du nationalisme ethnique. Son esprit libéral cheminait discrètement pour ne pas offusquer l'évêque de Val-des-Ormes qu'il servait comme conseiller principal et dont le conservatisme doctrinal frisait l'intolérance. (Un exemple entre cent de cette attitude: les tennis publics étaient bannis dans la ville parce que les joueuses auraient été court vêtues!) La compagnie du chanoine était très recherchée par les dames de la bonne société de Val-des-Ormes qui ne pardonnaient pas à Mme Marans de l'avoir fait entrer dans son clan d'habitués.

La table, toute en longueur, avait été dressée dehors, dans un renfoncement de la galerie qui donnait accès à la cuisine. La répartition des places avait quelque chose d'immuable que seul le départ d'un des enfants changeait, encore que, si l'un des deux absents était revenu, même pour une visite, il eût retrouvé son espace habituel. M. Marans présidait à l'un des bouts; sa femme et les trois plus grandes, Ève, Louise et Adeline, s'asseyaient à sa gauche, tandis que Gédéon, Augustin et Jouve occupaient le côté terrasse de la table. Martine, pour sa part, remplissait l'autre bout avec Sylvaine sur qui elle jetait un œil tout en assurant le service. Lorsqu'il y avait un invité, Gédéon cédait son siège, et les trois garçons se déplaçaient en conséquence.

« Mon cher Gédéon, je suis désolé de te voler ta place, disait invariablement le chanoine Mouchette, chaque fois qu'il dînait chez les Marans.

— Monsieur le chanoine, répondait Gédéon, avec non moins de constance, si ce sacrifice pouvait me valoir une meilleure place au paradis, je vous en serais éternellement reconnaissant. Comme il est probable que vous y serez avant moi, je vous demanderais seulement de préparer le terrain, si vous me passez l'expression, d'en toucher un mot à Dieu le Père. Je parie qu'Il exigera par un juste retour des choses que vous me donniez votre place quand mon heure sonnera.

— Mécréant, répliquait le chanoine, pendant que tout le monde pouffait de rire, si tu continues à tenir un tel langage, c'est en enfer que tu aboutiras! Je te plains car, là, tout traitement de faveur est exclu. Les places sont toutefois bien gardées au chaud...»

L'échange, avec ses variantes et ses additions, suffisait à donner le ton. Le résultat ne fut pas différent à l'occasion de ce premier dîner à la campagne. Un climat de bonne humeur et de joie partagée s'établit dès le potage aux légumes, jugé « essellent » par Sylvaine, qui en redemanda une louche bien que son bol fût à peine entamé, ce qui lui valut de la part de Louise un « tu-as-les-yeux-plus-grands-que-le-ventre », lequel ne provoqua chez celle-là qu'un sourire délicieusement innocent et muet.

« N'écoute pas Louise, dit Augustin, moqueur. Elle est jalouse parce qu'elle n'a pas une taille aussi fine que la tienne. Elle n'est pas capable de se priver mais elle voudrait que tous les autres se serrent la ceinture. »

Venant d'Augustin, une telle remarque souleva le rire parce que, déjà bedonnant et tout en rondeurs, il était l'image même du gourmand qui ne laisse jamais passer en vain un plat devant lui. Mais, contrairement à Louise qui était obsédée par son tour de hanches, Augustin acceptait volontiers son embonpoint, lequel, au surplus, lui allait comme un gant et était l'enveloppe corporelle de sa jovialité, de son sens du comique et de son esprit de repartie. Depuis le début du repas, il avait déjà réussi à pincer avec vigueur le quadriceps gauche de Jouve qui, sous la douleur, renversa presque son potage ; à subtiliser le verre d'eau d'Ève pendant qu'il la complimentait sur sa coiffure ; et à rejeter par-dessus la balustrade de la galerie les babouches d'Adeline qu'elle abandonnait infailliblement sous la table lorsqu'elle mangeait, ayant l'habitude de s'asseoir en tailleur sur sa chaise.

« Augustin, tu n'as pas le droit de me parler ainsi, répondit Louise. Tu ferais mieux de. . .

— Les grands enfants, ce n'est pas le moment de vous chamailler », interrompit Mme Marans avant que son mari n'eût le loisir de crier « Assez ! ça suffit ! ». Martine apportait justement les filets de doré, et Ève distribuait les asperges et les pommes de terre en robe des champs. Le silence se fit pendant que chacun remplissait son assiette à tour de rôle. Mine de rien, Augustin s'arrangea pour se servir une double portion. Jouve, qui surveillait sa mère en se demandant si elle parlerait des Mexicains, profita de l'interruption pour le faire lui-même.

« Je gage que personne ne sait ce que je sais, dit-il.

— Ce qu'il peut y avoir dans ta petite tête ne doit pas être très important », commenta sèchement Gédéon, impatient de reprendre l'intéressante discussion qu'il avait commencée avec le chanoine.

Mme Marans s'apprêtait à venir à la rescousse de Jouve mais ce ne fut pas nécessaire.

«C'est encore drôle, répliqua celui-ci. Je peux te surprendre, grand frère. Attends de savoir avant de te prononcer. N'est-ce pas ce que tu nous dis toujours ?

— Tu m'intrigues, dit Gédéon, la moue encore sceptique. Va toujours. Je suis tout yeux, tout oreilles.

— Moi aussi, risqua Adeline que se couvrit aussitôt le bas de la figure avec les mains.

— Bon, bon, pour une fois que je vous tiens tous en haleine, laissez-moi m'amuser durant quelques secondes, reprit Jouve en adressant un regard entendu à sa mère. Monsieur le chanoine, mon cher papa, ma chère maman...

— Ne m'oublie pas surtout, ajouta Augustin.

— Moi aussi, lança Sylvaine qui ne voulait pas se laisser damer le pion par Adeline.

— Si vous ne cessez de m'interrompre, je ne pourrai vous communiquer ma nouvelle. Mais comme je sais votre impatience, je ne vous ferai pas languir. Je vous annonce donc que les *cristeros* sont partis.

— Pas possible ! dit M. Marans.

— C'est la pure vérité, commenta Mme Marans en manière d'appui à Jouve.

— Chapeau ! petit frère, dit Gédéon, franchement stupéfait. Tu devrais faire du journalisme quand tu seras grand.

— Pauvre Gaby, quel choc ce sera pour lui ! s'exclama Ève qui jetait sur la vie le même regard tragique que son frère absent.

— Ah! c'est ça, ta nouvelle! dit Sylvaine, dépitée.

— Bravo! Jouve, c'est toute une nouvelle que tu nous as apportée,» dit Adeline, en faisant une grimace à cette dernière.

Pressé de questions après ces exclamations de surprise, Jouve dut faire le récit de son expédition à *Los Olivos* et répéter ce qu'il avait dit à sa mère plus tôt. Un sentiment d'orgueil gonflait sa poitrine.

«Il ne faudrait pas que cela te monte à la tête, dit Augustin à qui rien n'échappait. Tu sais que l'orgueil est un des sept péchés capitaux.

— Augustin, tu exagères, dit Martine qui mit sa main sur celle de Jouve et la pressa contre la table en guise d'encouragement affectueux.

— Je perds mes meilleurs clients, dit M. Marans avec une pointe de regret. Je comprends maintenant pourquoi je ne les voyais plus depuis quelques semaines. Hier encore, je demandais à Alexandre s'il savait où était passé le colonel Bustamante. Il avait l'habitude de venir à la quincaillerie chaque vendredi après sa visite habituelle à la banque.

— Monsieur le chanoine, dit Gédéon, vous êtes le seul jusqu'ici qui n'avez rien dit sur le départ des Mexicains. Serait-ce que cette fuite ne vous surprend pas?

— Pourquoi le serais-je? répondit le chanoine. Je savais depuis quelque temps que les Mexicains devaient mettre fin à leur exil.

— Monsieur le chanoine! s'écria Mme Marans, vous étiez au courant et vous ne nous avez rien dit!

— Mille regrets, ma chère dame, la nouvelle m'a été confiée sous le sceau du secret par l'abbé Blanche. Il connaît bien l'aumônier des Mexicains et c'est de lui qu'il tenait l'information. Le colonel ne voulait pas que la nouvelle du départ de la colonie s'ébruite afin de ne pas nuire aux délicates négociations qu'il avait engagées avec des financiers montréalais concernant la vente de *Los Olivos*.

— Ont-elles abouti? demanda M. Marans.

— Pas encore, quoique j'aie entendu entre les branches qu'une communauté religieuse de Montréal aurait fait une offre d'achat. Elle aurait l'intention de transformer le domaine en une colonie de vacances. »

Rongeant son frein, Gédéon s'agitait sur sa chaise. De n'avoir pas appris avant les autres le départ des réfugiés mexicains le vexait terriblement. Depuis que Gaby, avant de fuir Valdes-Ormes, l'avait informé sur les *cristeros*, il s'était documenté sur l'histoire du Mexique contemporain et il ne manquait jamais de lire dans *Le Devoir*, dont il était un fidèle lecteur, toute dépêche ou chronique touchant l'actualité de ce pays. Voilà que lui, le spécialiste en la matière, il s'était fait voler « sa » nouvelle. Comme ses recherches et ses lectures lui avaient appris un tas de choses intéressantes sur les persécutions religieuses dont les *cristeros* avaient été victimes et sur les politiques anticléricales du gouvernement mexicain, il jugea, en conséquence, qu'il pouvait, en mettant habilement cette connaissance à profit, prendre une douce revanche sur le chanoine Mouchette.

« Dites-moi, monsieur le chanoine, comment expliquez-vous cette décision inattendue des Mexicains de retourner dans une patrie qu'ils avaient fuie, quelques années auparavant ?

— Mon pauvre Gédéon, je ne suis pas dans le secret des dieux, répondit-il. Si Gaby était ici, il pourrait sans doute te renseigner.

— Je pense que j'ai l'explication, reprit Gédéon, triomphant. Les *cristeros* se sont toujours méfiés du général Cardenas qui fut président du Mexique jusqu'à l'an dernier. Ils ont tous fini, éventuellement, par se soumettre à son gouvernement, mais ils ne lui ont jamais accordé tout leur appui. Il semble que la situation a changé quand Avila Camacho a succédé à Cardenas à la présidence. Plus modéré que son prédécesseur, il a instauré un climat de confiance et mis fin à l'agitation politique. Le colonel Bustamante a probablement jugé qu'il pouvait, dans ces conditions, rentrer dans son pays sans crainte de représailles. . . »

La fin de l'explication de Gédéon se perdit dans les éclats de voix qui accueillirent l'arrivée du dessert : deux tartes aux fraises toutes fumantes que Martine déposa délicatement sur des dessous-de-plat de faïence. Sous le regard impatient et friand aussi bien des grands que des moins grands, elle traça agilement sur la pâte dorée, avec le bout de son couteau, une grande croix sur laquelle elle superposa un X, ce qui lui donna, une fois qu'elle eut fait le découpage, huit pointes parfaites pour chaque tarte. La distribution se fit en un tournemain, Ève et Louise s'étant toutes les deux portées volontaires.

« Je vous ferai remarquer, monsieur le chanoine, dit Mme Marans, que ce sont des fraises fraîches, cueillies ce matin même par Adeline et Sylvaine. N'est-ce pas que mes deux petites filles sont gentilles ?

— Merci, maman, crièrent-elles en chœur.

— Que Dieu vous bénisse, mes enfants, répondit le chanoine. Il réserve sûrement dans son paradis une place spéciale pour les petites filles qui ne laissent pas se perdre les beaux fruits que la nature nous offre.

— Touché », lâcha Gédéon, sourdement.

Augustin, quant à lui, était tiraillé par des considérations plus prosaïques.

« Passe vite le pot de crème, souffla-t-il à Martine. Je veux la goûter avant que Jouve ici présent, à ma droite, ne s'en saisisse et ne la déclare sure afin de la garder pour lui seul... Toutes mes excuses, frérot, je connais ton petit truc depuis longtemps, ajouta-t-il en aparté.

— N'empêche que ça marche à tous coups ! » fit Jouve.

27

La pause du dîner avait pris fin. Le lac
dont la surface polie, pareille à un gigantesque
réflecteur, renvoyait tout autour la lumière jau-
nissante, comme affaiblie, du soleil, connaissait
un regain de vie. Des embarcations bariolées,
les unes manœuvrées à la rame, les autres
poussées par un moteur, avaient envahi la baie ;
elles se croisaient et s'entrecroisaient dans un
ballet improvisé et disparate sous le dais d'azur
gris du firmament. Dans la ramée, les phalènes
secouaient leurs corps engourdis et, antennes à
l'affût et ailes frémissantes, s'apprêtaient à rejoindre le peuple du crépuscule. Les grives et
les moineaux, qui avaient durant les grandes
heures de la matinée dispensé à tous les vents
les notes claires et joyeuses de leurs chants,
voilà qu'ils avaient à présent la voix qui se voi-
lait, qui prenait des inflexions plaintives, nos-
talgiques, coupées de temps à autre par les cris
assourdissants et monocordes des ouaouarons
que la saison du frai attirait sur le bord de l'eau.

La table avait été vite desservie, puis placée contre le mur pour libérer le passage. Martine était disparue dans la cuisine avec Ève et Louise pour faire la vaisselle. Mme Marans, après avoir invité les hommes à aller s'asseoir au milieu de la galerie où des sièges confortables trônaient, servit du café au chanoine et à ses deux grands fils, mais à son mari, elle apporta une théière de thé vert, son infusion digestive favorite.

«Monsieur le chanoine, pour revenir à notre discussion de tout à l'heure, dit Gédéon, je ne comprends pas votre manque de sympathie pour le maréchal Pétain. Ne pensez-vous pas qu'il a sauvé la France et qu'à ce titre, il a droit à notre reconnaissance?

— Je suis plein d'admiration pour le vainqueur de Verdun, pour le grand héros de la dernière guerre, répondit le chanoine, mais le vieillard qui préside aux destinées du gouvernement de Vichy m'inspire beaucoup de pitié, parce qu'il me semble être à la fois la proie des Allemands et le jouet d'un Pierre Laval pactisant de plus en plus avec le diable nazi. Je ne crois pas, comme ce dernier aime le répéter, que l'Allemagne soit le dernier rempart contre le bolchevisme.

— Vous pensez que l'on est mieux protégé avec les Russes comme alliés? L'hydre communiste est déjà installé dans le camp occidental. Croyez-vous vraiment que les puissances alliées pourront s'en débarrasser, si elles remportent la victoire?

— Mon pauvre Gédéon, tu confonds les moyens avec la fin. L'important, dans l'immédiat, c'est de vaincre le totalitarisme hitlérien qui constitue une menace pour la démocratie occidentale d'inspiration chrétienne. Or, il arrive que l'U.R.S.S., en dépit d'un pacte de non-agression avec l'Allemagne, a été envahie par celle-ci, il y a un an. Elle est donc forcément devenue notre partenaire, et en l'aidant à résister aux panzers, nous servons notre propre cause. Que Staline devienne, dans la victoire, un allié encombrant et exigeant, c'est possible. Il sera toujours temps d'y voir, quand l'Allemagne sera abattue. D'ici là, il faut faire confiance aux Roosevelt, aux Churchill, et à ce général de Gaulle, le chef des Forces françaises libres, qui me semble promis à un grand destin, et espérer qu'ils ne se feront pas tous avoir par le petit père des peuples!

— Bien dit, chanoine, ne put s'empêcher d'opiner M. Marans que le ton des remarques de son fils aîné dérangeait et qui appréhendait la suite.

— L'optimisme sied bien aux cœurs généreux et tolérants, dit Gédéon, avec cette intonation sentencieuse que forçaient ses traits ascétiques et la jeunesse de ses opinions. De toute façon, qu'est-ce que notre pays a à faire dans cette galère? Pour plaire à Londres? Pour défendre l'Empire menacé? Je croyais que le statut de Westminster avait mis fin à la tutelle britannique sur notre pays et consacré l'indépendance politique et législative du gouvernement canadien! Je n'ai pas besoin de revenir là-dessus: vous connaissez déjà mes idées. J'ai voté « non » au plébiscite du 27 avril dernier pour deux raisons, qu'explique d'ailleurs très bien le manifeste de la Ligue pour la défense du Canada. D'abord, l'équivoque subtile de la question : « Consentez-vous à libérer le gouvernement de toute obligation résultant d'engagements antérieurs restreignant les méthodes de mobilisation pour le service militaire ? » Pour moi, comme pour la majorité des électeurs du Québec, continua-t-il en pesant sur le mot « majorité » car il savait comment son père et le chanoine avaient voté, cela signifiait sans l'ombre d'un doute que le gouvernement de Mackenzie King sollicitait un mandat pour imposer la conscription pour service outre-mer. Pourquoi diable Ottawa voulait-il être délié de son engagement, sinon pour pouvoir le violer ?

— Et pourquoi pas ? commenta Augustin qui, sans avoir le désir de suivre les traces de Gaby et de Julienne, aimait contredire Gédéon. Mais cela a-t-il tant d'importance, étant donné que le gouvernement, selon toute vraisemblance, ne sera pas obligé d'en arriver là.

— D'ailleurs, le principal but du plébiscite était de couper l'herbe sous le pied des conservateurs, farouches partisans d'une conscription générale, ajouta M. Marans. J'ai l'impression qu'on accorde à toute cette affaire une importance excessive. Tu as droit à tes opinions, Gédéon, et ta qualité d'étudiant t'a dispensé jusqu'ici de tout service militaire, mais n'oublie jamais que ton frère et ta sœur sont outre-mer et servent ton pays. . . »

Gédéon n'eut pas le loisir de poursuivre la discussion et d'expliquer son second point, le plus contestable, savoir la politique d'isolationisme prêchée par la Ligue et la nécessité pour le Canada de défendre avant tout le territoire national, puisqu'il serait menacé au dire même

300

des chefs politiques et militaires. Un canot à moteur approchait rapidement du quai. Jouve, assis les jambes pendantes sur la tablette d'appui de la balustrade, avait vu le canot partir du chalet d'en face. Aussi, quand il eut identifié positivement la personne qui tenait la barre, cria-t-il à son père :

«Papa, papa, le major MacLeod vient nous rendre visite.

— Est-ce bien lui ?. . . ma foi oui, dit M. Marans. Comme c'est curieux ! Sa dernière visite remonte à deux ans. Rappelez-vous, monsieur le chanoine, vous étiez avec nous, la France, vaincue et meurtrie, se voyait contrainte à signer un traité d'armistice avec l'Allemagne. Je vais voir ce qu'il veut. »

Et il se leva pour aller à la rencontre de son visiteur. Prétextant qu'elle voulait préparer la table pour le bridge, Mme Marans s'enfuit dans la maison. De fait, la perspective d'avoir à affronter le regard inquisiteur du bel Écossais l'affolait quelque peu. Après s'être fait aider à accoster par M. Marans, le major retint celui-ci sur le quai et engagea avec lui une conversation qui, vue de la galerie, semblait être strictement d'affaires.

«C'était un samedi comme aujourd'hui, dit le chanoine. Il arriva comme ça, dans son uniforme d'officier de la réserve, arborant toutes ses médailles. Comme nous tous, il avait suivi avec appréhension les derniers jours de la déroute de la France et appris avec tristesse l'humiliante rencontre de ses plénipotentiaires avec la délégation allemande, dans cette même clairière de Rethondes, pis, dans le même wagon où, en novembre 1918, furent consumés les rêves de l'Allemagne impériale. Lui qui avait connu les joies de la victoire sur le sol français, qui avait même visité les lieux, foulés 22 ans plus tard par le maître du troisième Reich, entouré d'un quarteron de maréchaux boutonnés jusqu'au cou et raides comme des pièces d'échecs, il était terrassé par la défaite de la France qu'il ressentait comme un affront personnel, et cherchait une oreille sympathique avec qui échanger ses impressions. C'était triste de voir cet officier si fier, cet homme d'affaires sévère et indépendant, brisé par l'émotion et complètement dépassé par les événements. Il s'est joint à nous sur la galerie. Tu te souviens, Augustin, il s'est justement affalé sur le siège que tu occupes, et n'a cessé de tapoter et de courber sa badine d'officier. Après une heure avec nous, au cours de laquelle il nous a raconté sa guerre, sa triomphale traversée de Bailleul avec son unité de tanks, il est reparti rasséréné, sautant presque dans son canot à moteur... »

Gédéon se taisait, n'osant pas évoquer à deux ans de distance sa propre réaction à la capitulation de la France, son ambivalence devant le triomphe du national-socialisme, son admiration pour son chef, Adolf Hitler. La France républicaine n'avait qu'à s'en prendre à elle-même pour sa défaite, avait-il jugé alors : latitudinaire, païenne, ingouvernable par surcroît, elle devait se régénérer, retourner à ses sources terriennes, revaloriser la famille et le travail. Et qui d'autre que le maréchal Pétain pouvait entreprendre une telle révolution nationale ?

302

Depuis, la situation avait évolué, et le vent commençait à tourner en faveur des Alliés. Quelques défaites infligées aux forces teutonnes, sur le front russe et en Afrique du Nord, corrodaient le mythe d'invincibilité de l'Allemagne hitlérienne. À Vichy, Pierre Laval, manœuvré, presque pris en mains par ses maîtres allemands, gouvernait au-dessus du vieux maréchal, perdu dans ses rêves d'une France éternelle, laborieuse et patriote, débarrassée de ses démons laïques, réconciliée avec elle-même.

Depuis leur échec au plébiscite, les maîtres nationalistes de Gédéon, les Maxime Raymond, les René Chaloult, les Georges Pelletier, naguère sympathiques au gouvernement de Vichy, commençaient à déchanter et réévaluaient leur position vis-à-vis de la participation du Canada à la guerre en Europe. Sans l'avouer ouvertement ni renier publiquement leurs attitudes passées, ils se rendaient compte que le conflit s'internationalisait, que les démocraties étaient en danger, et que le Canada, contrairement à ce qu'ils avaient prêché, ne pouvait pas se couper du reste du monde. La rumeur de la présence de sous-marins allemands dans le golfe du Saint-Laurent, à la hauteur de Tadoussac, était venue rappeler aux stratèges en chambre qu'aucun pays, si éloigné fût-il, n'était à l'abri d'un coup de griffe de l'aigle allemand. Dans l'esprit de plusieurs, la stature politique grandissante de l'homme du 18 juin 1940, l'action militaire, sous le commandement du général Kœnig, d'unités des Forces françaises libres en Libye, effritaient l'image de Vichy et reléguaient dans le passé collectif la figure pathétique du vainqueur de Verdun.

La conversation entre le major MacLeod et M. Marans se poursuivait toujours, mais elle paraissait plus animée. À ce que lui confiait le premier, le second répondait par des grands gestes de refus, à moins qu'ils ne fussent de désapprobation. Dans l'intervalle, pour tromper l'attente qu'il devinait chez Gédéon et Augustin, le chanoine continua à parler de la fin tragique de la troisième République et, sur un ton plus personnel qu'à l'accoutumée, comme s'il essayait de se rapprocher de Gédéon, il analysa les impressions qui l'avaient assailli dans le temps comme Canadien de souche française.

La perche qu'il tendait ainsi n'était peut-être déjà plus nécessaire. Gédéon ne regrettait pas son passé : il en faisait une autre lecture, il en élargissait les bornes. Quoiqu'il offrît à son interlocuteur un masque d'indifférence, il buvait ses paroles, il les emmagasinait afin de les trier à loisir et de les passer au crible après le départ du chanoine.

Augustin aussi était devenu silencieux, phénomène très inusité chez lui. Pacifique de tempérament, n'ayant aucune propension à la violence aussi bien verbale que physique, exempt en outre de tout souci idéologique ou métaphysique, ces histoires, souvent reprises, sur la guerre, ces informations quotidiennes, répétitives, même si leur côté aventureux et le climat de mystère qu'elles supposaient avivaient son imagination, avaient, depuis quelques jours, acquis une réalité, insoupçonnée de lui aussi longtemps qu'elles ne l'avaient pas touché personnellement. Or, il venait d'être appelé sous les drapeaux et devait, à la mi-août, se présenter à la base militaire de Saint-Jérôme.

Il essayait de prendre l'affaire en riant : ce n'était pas facile. L'obligation d'avoir à passer par une période d'instruction militaire de deux ans l'attristait profondément. La guerre, soudain, le passionnait moins.

Inépuisable, le chanoine poursuivait la conversation dans un cadre élargi en remémorant les grandes batailles de la guerre de 14. Les questions lui venaient de Jouve, et aussi de Mathieu qui avait surgi plus tôt, après qu'il eut aperçu un canot à moteur s'arrêter chez les Marans. Mathieu resta au bas de la galerie, préférant s'appuyer contre la balustrade où il était en meilleure position pour observer, à distance, le dialogue entre le major et M. Marans. Il était dans son élément : d'un côté, des récits de batailles racontés avec esprit et couleur par le chanoine, c'est-à-dire tout ce qu'il fallait pour enflammer son humeur belliqueuse ; de l'autre, sur le quai, des échanges mouvementés, tendus, étranges, qui ne pouvaient selon lui que présager le drame, qu'aboutir à un cul-de-sac. Et dans ces moments, le sang lui montait à la figure et une sorte de fièvre agitait tous ses membres.

L'excitation de Mathieu gagna Jouve qui sentit le besoin de bouger. À califourchon sur la balustrade depuis un moment, il se mit carrément debout sur l'appui, se bornant, pour ne pas perdre l'équilibre, à saisir d'une main le bord du toit. C'était une posture qui lui était familière et qu'il affectionnait ; il avait l'impression de dominer son entourage. Il en profita pour faire un pied de nez à Mathieu qui haussa les épaules en lui décochant un coup d'œil méchant.

Discrètement, Mme Marans revint prendre son siège sur la galerie. Elle avait rafraîchi son maquillage et jeté un châle sur ses épaules. Martine, qu'accompagnaient Ève et Louise, s'amena également de sorte que la tablée du dîner se retrouva pour admirer dans la douceur du soir la lente et implacable fin du jour. Au fond de la baie, en face, la ligne de l'horizon se détachait moins bien, les conifères perdaient leur lustre et se fondaient dans le ciel gris fer, teinté de lueurs incertaines. De longues flèches orangées striaient la surface noire et laquée de l'onde.

La conversation passa insensiblement à un autre registre. Fin diplomate, le chanoine enterra ses récits guerriers et entreprit de questionner les filles sur leurs études et sur les vacances qui commençaient. Sylvaine s'approcha de lui et s'assit sur le bras de son fauteuil afin d'attirer son attention. Augustin se mit de la partie et y alla de ces histoires loufoques, de ces descriptions inimitables dont il possédait le secret et qui entraînèrent une hilarité générale, à ce point captivante que personne ne vit M. Marans et le major MacLeod monter l'escalier de la galerie.

«Madame, dit le major à Mme Marans en prenant la main qu'elle lui tendait et en inclinant légèrement la tête, je ne voulais pas venir interrompre votre joyeuse assemblée mais votre mari a tellement insisté que je n'ai pu résister.

— Et il a eu raison, répondit Mme Marans, d'une voix un brin tremblante, nous vous voyons si peu souvent, vous et votre dame!

— Ah! madame, je suis le seul qu'il faut blâmer. Mes affaires sont trop accaparantes. Je dois constamment me déplacer d'un chantier à l'autre. Je me demande parfois si le jeu en vaut la chandelle. Est-ce bien la façon de le dire ?

— Oui, oui, dit Gédéon, surpris que le major puisse s'exprimer dans un aussi bon français.

— Je disais justement à M. Marans combien je l'enviais. Il n'est pas comme moi forcé de se disperser, de surveiller plusieurs affaires en même temps. Il peut se concentrer sur sa quincaillerie, ce qui lui laisse sans doute plus de temps pour sa famille. Comme je peux le constater, ajouta-t-il en jetant un regard circulaire, elle est nombreuse. Vous ne devez pas vous ennuyer.

— Pourquoi ne pas vous asseoir un moment ? dit Mme Marans. Augustin, approche un siège pour le major. . . Antoine, tu pourrais offrir à boire à ton visiteur. Vous prendrez bien quelque chose, n'est-ce pas ?

— Je vous en prie, madame, n'en faites rien. Je dois me sauver.

— Mais avant de partir, dit M. Marans, me permettez-vous d'informer ma famille de la décision que vous avez prise ?

— Si vous voulez, mais c'est sans importance !

— Au contraire, reprit M. Marans, je ne crois pas qu'il y ait beaucoup d'hommes de notre âge qui agiraient ainsi. Le major a demandé son incorporation dans l'armée active et veut signer pour service outre-mer. J'ai essayé de l'en dissuader : mes efforts ont été, hélas ! inutiles.

— Vous le savez sans doute, Mme Mac-Leod est d'origine française. C'est en chassant l'envahisseur allemand de Bailleul que j'ai fait sa connaissance et trouvé le bonheur. Or, la France est de nouveau sous la botte allemande : mon devoir et l'honneur de mon épouse demandent que je participe à sa libération.

— Monsieur le major, dit le chanoine, là où le devoir appelle un homme d'honneur, le droit y est sûrement. Puisse le ciel vous protéger et vous ramener parmi. . .!

— Ah, mon Dieu! cria Mme Marans, affolée. Mathieu, qu'as-tu fait ? Vite du secours. »

Étendu sur l'herbe, face contre terre, Jouve ne bougeait plus.

28

Perdu, blanc, il se redressa à demi et resta assis sur le sol avant que l'on n'eût pu l'aider. Il n'éprouvait aucune douleur. Son bras droit, cependant, pendait, inerte. Instinctivement, il ramena l'avant-bras contre sa poitrine et le tâta avec soin : oh ! oh ! quelque chose ne tournait pas rond dans le coude. L'espace d'une seconde, ses doigts labourèrent la chair : l'éclatement de l'os était manifeste. De fait, la partie supérieure du cubitus, dans le creux duquel s'emboîte l'humérus, était fracturée. La souffrance surgit, soudaine, crue, nue, paralysant le bras, si atroce qu'il glissa dans une demi-inconscience.

Était-il donc écrit que la journée finirait tragiquement pour Jouve ! Pourtant, ne s'était-elle pas annoncée belle, glorieuse et prometteuse, lorsque, de la lucarne, il l'avait vue sauter de l'aube à l'aurore, puis présenter à l'horizon son disque de lumière et d'espoir ? La colonne de l'actif était impressionnante : la chaleur de l'accueil de Monique, l'intérêt évident qu'il avait suscité chez elle, avaient justifié sa réserve subséquente vis-à-vis d'Anne et apporté la preuve qu'il était devenu un jeune garçon, presqu'un homme. Il l'avait bien montré, d'ailleurs, par l'utilisation qu'il avait su faire de la nouvelle du départ des Mexicains. Même Gédéon avait été impressionné.

Le tableau de sa journée projetait hélas ! une ombre opaque, lourde, dévoreuse des belles certitudes. Derrière elle se terrait le double camouflet qu'il avait reçu à la plage à son retour de *Los Olivos*. Monique, entourée de garçons plus vieux, accourus des chalets voisins, n'avait même pas eu un seul regard pour lui ! Brusquement, sans avertissement, la porte du monde grisant, entrouverte par son sourire perlé et sa voix dorée, s'était renfermée. Il avait tenté de se rapprocher d'Anne qui avait l'air de s'amuser follement. Un petit blond, qu'il n'avait jamais vu auparavant, sautillait autour d'elle, l'esbroufait. Quand les yeux d'Anne avaient enfin croisé les siens, ils s'en étaient détournés précipitamment, pendant qu'elle lâchait un rire pointu dont il ne sut s'il le visait ou qu'il fût destiné au petit blond. Dégoûté, il s'était enfui.

Le bruit sec, métallique, d'une portière fermée avec énergie le fit revenir à lui. Il ne comprit pas tout de suite ce qui était arrivé mais, prenant rapidement conscience qu'il avait le bras en écharpe, il fut fixé. La voiture démarra lentement et roula ensuite à petite vitesse. « La piqûre analgésique que je lui ai donnée devrait l'empêcher de souffrir, dit une voix qu'il reconnut : c'était celle du docteur Burgaud. — Pauvre Jouve, répondit Martine, lui arriver une chose pareille le premier jour de ses vacances ! » La présence de cette dernière assise à côté le rassura. Il ouvrit les yeux. Devant lui, dépassant le dossier de la banquette, une tête noire, auréolée par les feux du couchant balayant le pare-brise, au regard anxieux, interrogateur, intense, le plus beau qu'il ne lui eût jamais été donné de contempler : celui d'Anne. Anne qui indiquait par là qu'elle lui pardonnait son ignoble conduite ; Anne, son amie de l'été, transparente et pure ainsi que l'eau dont elle était la déesse ; Anne lui était revenue !

« Merci d'être là, souffla-t-il, puis saisissant avec sa main gauche la main qu'elle lui tendait par-dessus la banquette, il ajouta : ne t'en fais pas surtout, ça ira. L'été ne commence que demain : il nous appartient tout entier. » Le sourire qu'elle lui renvoya avait la même illumination que le grand soleil rouge, rose et mauve tout à la fois qui, au ponant, chavirait dans la nuit commençante.

*Achevé d'imprimer
par les travailleurs de
Les Imprimeries Stellac Inc.
en novembre mil neuf cent quatre-vingt-un
pour Le Cercle du Livre de France*